Ils cherchent le paradis,
ils ont trouvé l'enfer

Tous droits réservés
© Les Éditions de l'Atelier/Éditions Ouvrières, Ivry-sur-Seine, 2014
www.editionsatelier.com
www.twitter.com/editionsatelier
www.facebook.com/editionsatelier

Imprimé en France   *Printed in France*
ISBN : 978-2-7082-4286-9

Dounia Bouzar

Ils cherchent le paradis, ils ont trouvé l'enfer

DE L'ATELIER

LES EDITIONS

Les Editions Ouvrières
51-55, rue Hoche
94200 Ivry-sur-Seine

*Je dédie ce livre à Meriam Rhaiem
et à toutes les « mères orphelines »
qui se reconnaîtront.*

*Ce récit s'inspire des histoires qu'elles me confient depuis
janvier 2014, période où les premiers jeunes Français sont
partis pour la Syrie en faisant croire qu'ils allaient à l'école.
Aucun fait n'est inventé. Tous les personnages de ce livre
existent. Mais, par respect pour leur intimité, j'ai changé les
éléments qui pourraient permettre de les reconnaître, à part
ceux de Meriam Rhaiem, la seule mère dont le bébé a été
kidnappé en Syrie par les « jihadistes ».*

1

Voilà un quart d'heure que Sophie tourne en rond dans le salon. Il est 18 h oo et Adèle n'est toujours pas là. Ce n'est pas normal. Adèle est une fille sérieuse, toujours à l'heure. Elle termine à 17 h oo. Habituellement, au bout de cinq minutes, elle appelle Sophie, sa mère. Sa voix chante, passionnée : *« Oh, c'était super les SVT, on a attaqué le fonctionnement du cœur... C'est sûr je veux sauver des vies, je suis faite pour ça... »* Ou bien elle lui envoie un texto : *« Comment tu vas, mamaman ? »* Sophie adore quand elle l'appelle « mamaman ». Elle lui répond : *« Et toi, ma princesse adorée ? »*

Mais aujourd'hui, silence de mort. Sophie attrape son téléphone, elle tombe sur le répondeur d'Adèle, une fois, deux fois, trois fois, essaie de se raisonner : sa batterie s'est peut-être vidée... La sœur d'Adèle, Clémence, s'approche de sa mère et lui pose la main sur l'épaule :

– Arrête de faire ta mère poule... Elle vient d'avoir 15 ans, on voit bien que c'est ta dernière. Elle t'aurait appelée si elle avait un problème, inutile de t'inquiéter pour rien...

Clémence, c'est la lumière, la force de Sophie... Elle est toujours là pour elle. Sophie lui doit la vie, autant que

Clémence lui doit la sienne. Le jour où on a annoncé à Sophie : « *Votre mari est dans un état grave, un accident de voiture, vous devez venir, tout de suite, madame...* », Clémence s'est arrêtée de jouer, a regardé sa maman avec ses grands yeux marron et a agrippé sa main. Elle jouait au jeu du bureau de poste, passant des heures à trier les cartes postales miniatures à droite, les timbres à gauche, les récépissés au milieu. À 3 ans, ses gestes étaient minutieux. Sophie l'a serrée contre elle. Pour sentir son odeur. Elle cherchait de la force pour conduire. Sophie savait qu'elle allait vers la mort. Elle n'avait même pas peur, elle était résignée. Mais elle était faible, très faible, et vide à l'intérieur. *Je lui avais pourtant dit de ne pas prendre la voiture...*, était sa seule pensée. C'était bête, mais ça tournait en boucle. Sophie a amené Clémence chez ses parents et a pris la direction de l'hôpital.

Au retour, elle voulait en finir. C'était son seul moyen de tenir : se répéter que si elle le voulait, elle pouvait mourir. Ça la soulageait. Elle visait le balcon. Mais Clémence ne la lâchait pas ; chaque minute, elle lui demandait quelque chose : du jus d'orange, le parc, un gâteau, de la crème noisette... Elle, qui était si indépendante depuis sa naissance, se ligotait à sa mère. Les dix premiers jours qui ont suivi l'enterrement, Sophie les a passés à se dire : *Je termine la journée et je meurs demain.* Et puis voilà, jus d'orange après jus d'orange, gâteau après gâteau, elle est restée vivante. Tellement vivante que, dix ans plus tard, elle a pu aimer Philippe.

Sophie l'a rencontré lors d'une recherche pour un de ses livres. Au départ, ils ont ressenti une grande complicité intellectuelle en passant des heures à échanger sur le lien entre psychanalyse et histoire. Petit à petit, leurs cœurs se sont liés.

Il a comblé un vide qu'elle n'avait même plus conscience de porter. De cet amour est née Adèle, le deuxième miracle de sa vie, sa princesse.

Aujourd'hui, Sophie n'est ni faible ni vide. Au contraire, elle a envie de frapper tout le monde, se force à faire des gestes lents, pour ralentir le sang qui tape contre ses tempes. Il est 18 h 30. Une seule phrase tourne dans sa tête : *Il lui est arrivé quelque chose.* Elle imagine Adèle dans un fossé, renversée par une voiture. La vie va-t-elle lui enlever Adèle alors qu'elle lui a déjà pris Antoine ? Impossible de rester en place. Sophie sort de la maison, marche jusqu'à l'arrêt de bus, et revient. Elle se raisonne. Pourquoi cette angoisse ? C'est incroyable comme on devient exigeant avec des enfants parfaits. Au moindre faux pas, on sait qu'il y a un problème. Pendant quelques minutes, elle envie Martine : sa fille est toujours en vadrouille, elle n'écoute rien ni personne. Martine s'est habituée.

Sophie respire tout doucement, cherche l'air dans ses poumons. Cette fois-ci, elle en est sûre : il est arrivé quelque chose à Adèle. Elle entend Clémence qui appelle son père :

– C'est urgent, tu dois venir. Adèle n'est pas rentrée. Si, maman est là, enfin non, maman n'est plus là, enfin rentre, papa, c'est grave.

Clémence a prononcé « *c'est grave* ». Sophie arrive à remuer ses lèvres dans le bon sens et demande ce qu'il a dit.

– D'appeler le lycée.

Clémence leur parle déjà, Sophie l'entend insister :

– Vous êtes sûrs, vous êtes bien sûrs ? Comment ça « souvent absente » ?

À peine Clémence a-t-elle raccroché le fixe qu'elle saisit le téléphone de Sophie.

– Tu as les numéros de Danaé et Salomé ?

Avant que Sophie, abasourdie, ne réponde, Clémence échange déjà avec les copines d'Adèle. Elle se met à crier :

– Comment ça, vous vous êtes disputées ? Vous ne vous parlez plus ? Mais depuis quand ? Mais pourquoi ?

Sophie monte dans la chambre d'Adèle : elle se couche en position fœtus sur son lit, autour de son coussin en fleur rose, toujours concentrée sur sa respiration. Elle a l'impression de flotter au-dessus de son corps et de se voir vivre. Mais tant qu'elle respire, Adèle respire. Sophie sait qu'elles respirent ensemble. Ses yeux vont du fauteuil à la commode, puis de la commode aux étagères. Ils fonctionnent de manière automatique. Puis son regard s'arrête sur une feuille qui sort de son livre préféré : une histoire de jeune atteint d'un cancer et qui décède. Instinctivement, elle tend le bras et l'attrape. C'est l'écriture d'Adèle.

« Mamaman à moi,

Je veux que tu saches que je t'aime
comme personne n'aime sa maman.
C'est parce que je t'aime que je suis partie.
Quand tu liras ces lignes, je serai loin.

Je serai sur la Terre Promise, le Sham[1], en sécurité.

Parce que c'est là-bas que je dois mourir pour aller au Paradis.

Et même si tu n'es pas musulmane, je me suis bien renseignée, je vais pouvoir te sauver.

Dieu ne me fera pas souffrir, je ne sentirai rien, et je te retrouverai au Paradis.

Ils me l'ont promis.

Il faudrait juste que tu croies en Dieu.

Si tu te convertis, ce sera plus facile.

Mais sinon, je pourrai quand même t'amener au Paradis.

Je sais que tu ne vas pas comprendre, parce que tu n'es pas élue.

Mais moi, j'ai eu accès à la Vérité.

J'ai été choisie et j'ai été guidée.

Alors je sais ce que tu ignores : nous allons tous mourir, punis par la colère de Dieu.

C'est maintenant la fin du monde, mamaman.

On a trop laissé de misère, on a trop laissé d'injustices...

La Palestine, la Birmanie, la Centrafrique...

Et tous les humains vont finir en enfer.

Sauf ceux qui ont combattu avec le dernier imam au Sham,

Donc sauf nous.

Ça va te faire de la peine au début, je sais, c'est dur pour moi aussi,

C'est très très dur.

Mais quand on se retrouvera toutes les deux au Paradis,

---

1. L'islam annonce que « la fin du monde » se réalisera sur la « terre du Sham », qui correspond à la région appelée Levant en français. Elle englobe la Syrie, mais aussi le Liban, la Jordanie, la Palestine et une partie de l'Irak, voire de la Turquie pour certains. Du point de vue des intégristes, les massacres commis par Bachar el-Assad sont le « signe » que cette prophétie apocalyptique mondiale se réalise maintenant.

Tu me diras merci.

Tu seras fière que je nous aie sauvées toutes les deux.

Bien sûr, je prendrai aussi Clémence, et papa, malgré qu'il ne t'aide pas beaucoup au ménage.

Je prendrai aussi pépé et mémé, et aussi les cousins.

J'espère qu'ils seront sages, au Paradis, qu'ils ne me feront pas honte.

Voilà, maman, j'ignore quand mon heure viendra.

En attendant, je vais soigner les enfants blessés par Bachar el-Assad, puisque toute la terre s'en fout.

Et puis je ferai ce que l'Émir me dira de faire, car le dernier imam envoyé par Dieu est un de ces émirs.

Tu comprendras plus tard, tu me diras merci.

Mais tu sais que personne ne t'aime comme moi.

La preuve, je suis là pour toi.

Ton Adèle qui est si pressée de te retrouver,

Mamaman que j'aime tant. »

2

– Nom, prénom, adresse, profession ?

– Philippe de la Vallière, psychanalyste, 5 boulevard Saint-Germain à Paris.

Il a du mal à prononcer « psychanalyste », comme s'il était coupable. Le policier le fixe. En une journée, les traits de Philippe se sont creusés.

Le policier jette un regard vers Sophie, probablement pour qu'elle décline à son tour son identité. C'est Philippe qui reprend la parole, agacé qu'on ne reconnaisse pas le nom d'écrivain de sa femme : *« Sophie de la Vallière »*. Son ton est méprisant. Elle devine ce qu'il pense : *Encore un uniforme vide, un enquiquineur qui a renoncé à penser il y a longtemps.* Depuis qu'il a monté son cabinet, Philippe a changé. Il s'ennuie vite avec ceux qui ne sont pas psy comme lui.

– Depuis quand votre fille s'est-elle convertie à l'islam ?

– Ma fille n'est pas musulmane : nous sommes athées. Nous portons plainte puisqu'on la pousse au suicide.

Il y a un petit silence. Sophie se dit que le flic va devenir plus subtil, mais non :

– Je comprends, monsieur, mais moi je lis sur la lettre qu'elle vous a écrite qu'elle est devenue musulmane. C'est pas moi qui le dis, c'est elle. Il n'est pas question de suicide, mais de fin du monde. Vous comprenez ?

Avant que Sophie n'ait eu le temps d'ouvrir la bouche, Philippe s'est levé d'un seul coup, a attrapé son long manteau et a quitté le petit bureau défraîchi en claquant la porte. Il mesure 1 m 85 et ça fait du vent. Une fois dehors, il va attraper son portable et appeler ses relations : son copain sénateur à Toulouse, sensibilisé à la lutte contre l'intégrisme, la députée engagée pour les droits des femmes, et deux, trois personnes bien placées au ministère de l'Intérieur, dont le chef de cabinet. Il a suivi l'un de ses enfants pendant trois ans. Il ignore encore que toutes ces personnes vont lui expliquer qu'il doit quand même passer par la voie officielle, soit une plainte dans le commissariat de quartier. À force de fréquenter les grands de ce monde, il perd un peu le sens des réalités...

Plutôt que d'être contrainte de revenir une deuxième fois au commissariat, Sophie décide de rester, d'en finir avec sa déposition.

– Monsieur, nous venons d'apprendre que notre fille est partie sous les bombes en Syrie, et que quelqu'un lui a fait croire qu'elle devait mourir là-bas. Nous voulons porter plainte pour abus de faiblesse. Monsieur, vous avez des enfants ?

Le policier fait la grimace et donne l'impression de réfléchir :

– Ah ben, je vous préviens, chez les musulmans, la faiblesse, c'est pas leur truc. C'est la charia qui décide et pas de discussion. La prière, le mariage, le jihad... Tout est obligatoire. Vous ne choisissez même pas ce que vous mangez. D'ailleurs, à cette heure-ci, elle doit déjà être mariée, votre fille. Elle s'est convertie quand déjà ?

Sophie renonce définitivement à échanger. Il faut en rester aux faits et se concentrer sur l'objectif : déposer sa plainte.

– Monsieur, je suis venue déposer plainte parce que ma fille a été kidnappée en Syrie.

– Madame, votre fille est partie en Syrie de son plein gré.

– Elle est mineure, je ne lui ai pas donné d'autorisation de quitter le territoire français.

– Le ministre de l'Intérieur a produit une circulaire qui autorise les mineurs à quitter le territoire français avec un passeport valide.

– Mais il faut une autorisation de sortie de territoire.

– Non, depuis le 1er janvier 2013, la circulaire du 20 novembre 2012 s'applique.

– La circulaire du 20 novembre ?

– Le ministre de l'Intérieur a supprimé cette autorisation de sortie de territoire parentale pour les pays européens et l'espace Schengen.

– Comment ça ? Les mineurs peuvent partir sans prévenir leurs parents ?

– Oui, madame, avec une carte d'identité valide, ou un passeport.

– Mais c'est impossible... et l'autorité parentale ?

– C'est comme ça, madame. Je ne fais pas les lois.

– Je peux quand même déclarer sa disparition ?

– Oui, madame. On peut faire une déclaration pour disparition inquiétante. Mais je n'ai pas de preuve qu'elle soit partie en Syrie, moi. Et pour l'abus de faiblesse, vous verrez avec un avocat. Il me faudra des faits. Pour moi, c'est une adolescente en fugue. C'était tendu, à la maison ? Avec son père peut-être ?

Quand Sophie pousse la porte de la maison, Philippe a retourné tous les tiroirs contenant des papiers administratifs dans l'appartement. Par le biais d'un ami magistrat, il a eu le juge antiterroriste Talérand au téléphone et il cherche des indices. Celui-ci l'a bombardé de questions : Adèle a-t-elle changé d'amis ? Cessé ses loisirs ? Arrêté l'école ? Remis en question son autorité ? S'est-elle enfermée dans sa chambre ? Avait-elle une connexion internet à sa disposition ? A-t-elle récupéré son passeport ?

Philippe vide le troisième tiroir et regarde Sophie avec des yeux paniqués :

– Adèle a-t-elle touché nos papiers ? Pris quelque chose ? Une facture de gaz, d'électricité ?

– Pourquoi aurait-elle pris ça ?

Il ne sait pas. Le juge lui a demandé de tout vérifier, donc il vérifie.

Sophie trouve Clémence rouge de sueur devant Internet, en compagnie d'Hassein, son copain pro en informatique, qui a pris la main sur l'ordinateur d'Adèle. Sophie voit défiler des photos de femmes vêtues de noir, le fusil à la main.

– Tu fais quoi, là, Clémence ?

– Adèle avait un deuxième profil Facebook..., murmure-t-elle dans un souffle.

Sa mère ne comprend pas.

– Mais non, elle me le montre souvent, son Facebook, qu'est-ce que tu racontes ?

Hassein propose à Sophie de s'asseoir, ce qu'elle fait. Entre eux deux. Clémence pose sa main sur ses genoux. Des larmes coulent sur ses joues. Sur l'écran, on distingue vaguement le petit visage d'Adèle ceint d'un long foulard noir, qui lui prend tout le corps. Elle a rajouté un bandeau autour du front qui ressemblerait à celui d'un Indien s'il n'était pas noir avec des écritures blanches en arabe dessus. En grossissant l'image, on reconnaît vaguement son nez et ses deux grains de beauté. Sur cette page Facebook, Adèle s'appelle Oum Hawwa.

– C'est Ève, en arabe, traduit Hassein. Oum signifie « mère de ». Toutes ses « nouvelles amies » de cette page s'appellent comme ça... Et les hommes s'appellent Abou quelque chose, « père de ». Vu leurs propos, ils se prennent pour des musulmans supérieurs qui sont les seuls à avoir compris « le vrai islam ». Ça fait peur, leur truc...

Sophie ne relève ni le « ils », ni l'adjectif « supérieurs ». Elle procède par étapes, et se concentre sur les visuels. La photo suivante exhibe une collection de grenades alignées sur un lit, aux côtés d'une pile de billets. Ce n'est pas le lit d'Adèle, ce n'est pas sa chambre. En dessous, des photos d'enfants, syriens sans doute, blessés par des obus ou les gaz de Bachar el-Assad. Il y en a une dizaine, toutes plus insoutenables les unes que les autres. Plus bas, des cadavres de familles palestiniennes gisant sous les ruines de leurs maisons bombardées... Sophie les voit sans les regarder. Elle s'oblige à revenir chaque seconde à ce qui reste du petit visage d'Adèle sous le foulard noir, pour garder en tête qu'il y a un lien entre toutes ces horreurs et sa fille disparue.

Ma chérinette à moi, mon petit cœur, mon ange... murmure-t-elle intérieurement.

Hassein commente ses découvertes à mi-voix :

– Ce Facebook est récent, elle l'a ouvert début janvier. Les photos de femmes armées datent de trois jours. Celle des grenades et de l'argent aussi. Je vais regarder les profils de ses amis...

Que s'est-il passé début janvier ? Le cerveau de Sophie se met en marche. Après Noël, sa belle-sœur, Cathy, la femme de son frère, a succombé à un anévrisme foudroyant. Debout sur un tabouret en train d'installer un de ses nombreux bibelots sur l'étagère de sa bibliothèque, elle est tombée d'un coup. On allait se moquer d'elle quand on l'a trouvée inanimée à terre. Sophie a compris tout de suite. Elle ne sait pas pourquoi. Elle a compris que c'était terminé. Cathy avait 40 ans. Adèle a beaucoup pleuré. Elle se blottissait dans les bras de sa mère puis dans ceux de son père, secouée de sanglots. C'était comme si elle ne pouvait plus tenir debout toute seule.

Maintenant, Sophie se demande si Adèle n'a pas eu peur que ses parents tombent à leur tour. La mort de Cathy les a tous atteints. La famille est réduite et chacun a eu conscience de perdre un petit morceau de lui-même. Adèle avait parlé de la souffrance humaine, des injustices de la guerre. Philippe avait répondu que la mort fait partie de la vie, que c'est pour ça qu'on aime la vie. Adèle avait baissé la tête et Sophie l'avait embrassée.

Sophie s'apprête à demander à Hassein de revenir sur les photos des enfants blessés mais, avant qu'elle en ait eu le temps, il remonte le fil d'une discussion entre Oum Hawwa et un Abou Moustapha, datée du 28 décembre :

– *Salemaleykoum barakatou...* ma sœur Hawwa...

– *Aleykoumsalem...* mon frère Moustapha...

– Je viens prendre de tes nouvelles, ma sœur. J'espère que tu vas mieux, *Inch Allah.*

– *Hamdoullah,* je vais bien. Et toi ?

– *Hamdoullah...* As-tu réfléchi à ce que je t'ai expliqué ?

– Oui, grâce à Dieu, mon esprit est plus éclairé. Je comprends mieux les choses. Dieu a rappelé tante Cathy pour me faire venir à Lui. Il me fallait ça pour voir les Signes que les ignorants n'entendent même pas.

– C'est pour ça qu'Il nous envoie des épreuves. Tout est écrit. Il y a toujours un sens derrière. Allah t'a choisie pour savoir. Mais Il devait t'envoyer un déclencheur pour que tu sortes de l'ignorance dans laquelle tu as été maintenue jusque-là.

– Ça veut dire que Cathy est décédée par ma faute ?

– Mais non ! On voit que tu n'as pas tout compris encore... Tu raisonnes en être humain là... Allah raisonne comme Maître de l'Univers. Tu dois t'élever. Voir l'intérêt de l'Univers et non pas ton nombril.

– J'ai toujours voulu aider les autres, mais c'est vrai que je reste un peu égoïste. J'ai toujours eu ce que je voulais, je n'ai manqué de rien.

– Tu as ouvert ton cœur à Dieu et Il ne te lâchera plus. Tu as parlé de ta conversion à tes parents ?

– Non.

– Pourquoi ?

– Je n'ai pas eu le courage...

– Tu as encore peur d'eux, plus que de Dieu ?

– Non, je n'ai pas peur. Je les aime. Je sais qu'ils ne comprendront pas. Ils ne croient même pas en Dieu. Pour eux, la religion, c'est l'opium du peuple, je ne sais pas si tu peux comprendre.

– Et t'en penses quoi, toi, d'être désignée par Dieu dans ta famille ?

– Je me sens soulagée et protégée. Je sens que Dieu est avec moi, ça me rassure. 24/24. 7 jours sur 7. Avant, j'étais angoissée. J'avais toujours peur du lendemain. J'avais peur de rater, de décevoir... Toujours la boule au ventre. Maintenant je suis zen...

– *Machallah*... Tu vas te sentir plus forte aussi, ma sœur...

– Oh oui... *Hamdoullah*, je me sens trois fois plus forte, comme si je sortais d'un stage d'aïkido. J'ai confiance en moi et en l'avenir.

– *Machallah*... Tu sais que tu as une responsabilité aussi envers l'univers maintenant. Tu n'as pas été choisie pour rien. Allah va t'envoyer de nouvelles épreuves...

Le chemisier de Clémence est trempé par ses larmes qui ruissellent. Sophie réalise que le sien aussi. Leur discussion virtuelle se termine, mais il y a vingt-cinq « pages suivantes ». Dans chaque réponse, il y a un peu d'elle et un peu d'une étrangère. C'est comme si, en l'espace de quelques mots, sa mère la retrouvait et hop... qu'elle s'évaporait entre ses doigts. Que lui ont-ils fait, à sa petite fille ? Que lui font-ils ? Où est-elle ? Que fait-elle ? Sophie part s'enfermer dans sa chambre pour pouvoir s'écrouler librement. À droite de l'écran, elle a vu une sorte de drapeau. Elle a cru que c'était le logo d'Adidas et a demandé qu'on le grossisse. C'est le drapeau d'Al-Qaïda. Le drapeau d'Al-Qaïda sur le Facebook de sa fille ! De gros orages parcourent le corps de Sophie.

3

– Réveille-toi, Sophie. On part chez le juge Talérand.

Philippe parle sans complaisance. Quand il a mal, il se durcit. Sophie en a l'habitude, mais là elle n'est pas capable d'encaisser. Il le perçoit, car son regard s'adoucit.

– Allez, fais un effort, on doit agir vite. Tout se joue les premiers jours.

Sophie se recoiffe machinalement en se demandant quel sens peut bien avoir cette phrase. Tout s'est déjà joué, non ? Sur le seuil, Philippe s'adresse à Clémence :

– La Direction générale de la sécurité intérieure va passer prendre l'ordinateur en fin d'après-midi.

Sophie reprend ses esprits :

– Ah non, on doit d'abord tout regarder.

– Regarder quoi ?

Il a repris son air dur.

– Je t'expliquerai. Mais gardons l'ordi jusqu'à demain.

– Sophie, tu dois me faire confiance. Ce boulot revient aux spécialistes du terrorisme. On ne s'en sortira pas sans eux.

« Terrorisme » ? Mais qu'est-ce qu'il lui raconte ? Les yeux de Sophie croisent ceux de Clémence qui lui dit d'un air entendu :

– Hussein a presque fini de tout copier. Adèle avait effacé son historique, mais on a tout récupéré.

Toutes deux ont vu la même chose et savent qu'elles cherchent la même chose : la façon dont « ils » ont retourné le cerveau d'Adèle. C'est une première étape. Après, elles aviseront. Sophie opine de la tête et franchit le palier.

Le tribunal est totalement défraîchi. Ça ne fait pas très sérieux, ces trous au plafond, ces peintures arrachées. On se croirait dans un HLM laissé à l'abandon. Talérand vient à la rencontre de Philippe et lui donne une accolade fraternelle.

– Désolé que ça vous arrive. Preuve que ça peut toucher n'importe qui.

Sophie n'est pas persuadée que cela rassure Philippe. Elle n'est pas certaine qu'il se sente « n'importe qui ». Mais bon... Le couple entre dans le bureau du juge. Ils s'installent autour d'une table ronde où de gros dossiers se superposent, en liasses.

Talérand prend la parole en regardant Philippe :

– On compte environ 700 Français là-bas, dont une cinquantaine de mineurs, peut-être un peu moins, peut-être un peu plus... La plupart sont partis ces derniers mois. On a tracé le téléphone d'Adèle à l'aéroport de Marignane. Elle a été prise en charge par les membres du réseau présents dans le Sud de la France. Cet aéroport est le pire. Ailleurs, ils font gaffe aux mineurs maintenant. On l'a captée en salle d'attente par vidéo. Elle n'est pas partie seule, elles sont deux.

Sophie se redresse. On a donc une trace concrète. Adèle est bien partie. C'est pour de vrai.

– Ah bon, elle n'est pas seule ? Qui est l'autre ? On la connaît ?

– Ça m'étonnerait, répond le juge, une petite du Sud, de Marseille, je crois. Elles ont dû prendre attache par Facebook. Ça marche comme ça. Ils se rencontrent virtuellement d'abord.

– Avec quel argent ont-elles pris l'avion ?

– Il suffit de cinquante euros pour gagner la Turquie, elle n'avait pas ça en poche ?

– Si... Ils font quoi, les parents ? demande Philippe.

– Le père est gérant dans un grand magasin et sa femme est secrétaire. Ils sont d'origine algérienne, mais pas musulmans pratiquants. Ils sont très remontés. La police les sent prêts à faire une connerie.

– Ça veut dire quoi, *« faire une connerie »*, dans cette situation ?

Sophie a beau chercher, elle ne voit pas.

– Certains parents ne pensent qu'à une chose : aller chercher leur enfant eux-mêmes et risquer leur vie pour rien. Il y a des fois où je me demande s'ils ont réalisé que ce sont des intégristes qui détiennent leurs gosses. Les hommes qui appartiennent à Jabhat al-Nosra ou à l'État islamique de l'Irak et du Levant ne sont pas des enfants de chœur...

Sophie a envie de rentrer chez elle pour regarder encore le visage d'Adèle, mais Philippe veut comprendre.

– Il y a deux groupes différents ?

– Oui. Al-Nosra est une filière d'Al-Qaïda mais, curieusement, ses membres sont les moins sanguinaires. Leurs vidéos rappellent les procédés d'endoctrinement des anciennes sectes. Ils mélangent le faux et le vrai dans chaque phrase et persuadent les jeunes que le monde n'est que mensonges et complots contre les plus faibles. Une vidéo en appelle une autre et, progressivement, les jeunes en viennent à rejeter le monde réel. Ensuite, ils les font basculer dans l'idée que seule une confrontation finale sera salutaire. Al-Nosra attire des jeunes sensibles, engagés, désireux d'améliorer la société : ils ont réussi à faire basculer pas mal d'étudiants en médecine notamment. D'autres voulaient devenir infirmières, assistantes sociales, des métiers où l'on aide les autres... La tranche d'âge va de 14 à 28 ans, avec une majorité de 16-21, le passage au statut d'adulte... Les jeunes touchés proviennent en grande partie de familles athées, de classe moyenne voire supérieure. On a quelques familles juives et chrétiennes aussi, assez peu de musulmans finalement.

— Des familles juives ?

— Oui, nous avons quelques familles juives dont certaines sont pratiquantes. Ils ont même réussi à rendre un juif antisémite : il clame à tous ceux qui le prennent en charge que ses parents ne supportent pas qu'il se soit converti à l'islam parce qu'ils sont juifs. On l'a récupéré à temps, il est encore en France. Il a écopé d'une injonction de soins psychiatriques. Mais quand il est face au docteur, il attaque : *« Vous croyez ma mère parce qu'elle est juive ? Elle vous convainc que je suis radical parce qu'elle est juive ! Elle croit qu'elle commande le monde et ça marche ! »* Je vous le répète, cet endoctrinement peut toucher n'importe qui... Il y a des enfants d'enseignants, d'éducateurs, de médecins..., remplis d'idéaux. On leur dit que le petit malaise ressenti dans leur corps ou dans leurs relations est juste le signe qu'ils sont élus pour détenir la vérité et sauver le monde des forces du mal. Quel adolescent n'a pas eu un passage à vide face aux injustices ? Les radicaux l'attrapent à ce moment précis !

Sophie est soulagée d'entendre parler d'endoctrinement. *Adèle est une victime, pas une coupable !* Elle se souvient des commentaires de Hussein : « *Ils se prennent pour de "vrais musulmans supérieurs".* » L'idée que des étudiants en médecine soient aussi partis la rassure un peu. Sa fille n'est pas la seule à s'être fait piéger... Et ils sont probablement ensemble.

Philippe ne perd pas le fil :

– Et l'autre groupe, le sanguinaire ?

– L'État islamique de l'Irak et du Levant, l'EIIL pour faire simple, diffuse des vidéos de terrorisme classique : leur groupe massacre tous ceux qui ne sont pas comme eux, tire sur tout ce qui bouge en criant *Allah Akbar.* Les terroristes filment leurs victimes en train de creuser leur propre tombe. Ce sont eux qui exposent sur la place publique les têtes coupées. Il y a pire : dans une vidéo, ils jouent au football avec des têtes.

Sophie ne se sent pas bien. Le juge s'en aperçoit et complète en accélérant le rythme :

– Ceux-là n'ont rien à voir avec votre fille. Ils ne recrutent que des anciens délinquants ou toxicomanes, des sociopathes et des psychopathes de toutes origines, ainsi que des profils paranoïaques soulagés de trouver un cadre organisé pour voir le mal partout. Des jeunes à problèmes, déséquilibrés, sans espoir social, sans famille, révoltés contre la société, emplis de haine... Mais pour nous, tout est difficile. C'est terminé, le temps où il suffisait de repérer la filière pour la remonter. À l'époque de l'Afghanistan, les terroristes étaient encore des professionnels. On était professionnels contre professionnels.

Là, ça part dans tous les sens et chacun innove ! Le gamin peut passer de la préparation de son BTS à Al-Nosra en moins de deux mois, comment voulez-vous qu'on s'en sorte...

Cette fois-ci, c'est Philippe qui semble perturbé. Il insiste :

– Vous êtes certain qu'Adèle est avec Al-Nosra ?

– Oui, certain. Vous verrez, elle va vous téléphoner. Il n'y a que Abu Oumma qui accepte que les jeunes appellent leurs parents.

– Abu Oumma ?

– C'est le chef du groupe Al-Nosra francophone.

– Ils sont entre Français ?

– Il y a les Belges et quelques Suisses aussi.

Philippe se tait. Le juge reprend :

– Abu Oumma est un ancien bandit. Il était spécialisé dans les braquages à main armée. Il a notamment cambriolé de nombreuses banques en France. Il a été incarcéré plusieurs années et s'est fait expulser. Ensuite, il s'est reconverti dans le jihadisme. C'est lui qui maintient nos mineurs en Syrie. Comme il a grandi en France, il pense en français. Il est plein jusqu'aux as et monte lui-même des vidéos d'endoctrinement hypermodernes. Il touche les francophones et les a regroupés.

Ce juge parle du tortionnaire d'Adèle comme si c'était un vieux pote. Sophie en est stupéfaite. Philippe doit penser la même chose, car il devient très pragmatique :

– Pourquoi ne peut-on pas s'organiser pour sauver nos enfants ? Moi aussi, je veux partir. Je comprends le couple marseillais. Je veux sauver ma fille. Cet Abu Oumma ne me fait pas peur. À moins que le gouvernement s'en occupe ?

– Ce n'est simple pour personne. Il ne s'agit pas d'une guerre civile, mais d'une multitude de guerres civiles qui ont proliféré à partir d'une révolution contre un dictateur qui a massacré son peuple impunément. Il y a quantité de groupuscules terroristes à l'intérieur de l'EIIL et de Al-Nosra, selon les origines de leurs membres. Les jihadistes viennent du monde entier et se massacrent aussi entre eux. Ensuite, la mafia turque tient les frontières. Les intégristes ont placé des *check points*. Chaque groupuscule a le sien. Si l'on rajoute à cela l'armée de Bachar el-Assad et son ennemi principal, l'Armée syrienne libre, les révolutionnaires laïques, enfin ceux qui ne sont pas intégristes, vous évaluez un peu la perspective de réussite... C'est zéro, aucune chance.

Philippe s'énerve et le coupe :

– Il n'y a aucune chance de sauver nos enfants ? C'est ce qu'on verra. Et en attendant, je ne comprends pas : si on sait que ça marche par Internet et plus particulièrement par les réseaux sociaux, si on connaît ces vidéos de propagande, pourquoi on n'interdit pas tout ça ? On a bien supprimé celles des pédophiles !

– C'est vrai, on y réfléchit. Quand le siège des sites internet est aux États-Unis, c'est compliqué, car leur Constitution interdit d'interdire... Mais on peut tenter une négociation, vu l'ampleur du problème. Après, il y a un autre débat : la police est partagée... Si on supprime leur moyen de communication, comment remonter aux premiers couteaux ? Suivre ces terroristes sur Internet est le seul moyen de les tracer efficacement... D'autant que bon nombre sont narcissiques et ne se privent pas de faire étalage de leurs prouesses. Ce sont des preuves pour les autorités, au cas où il y aurait un retour.

Avec ces photos, ils ne pourront pas prétendre n'avoir fait que de l'humanitaire...

Sophie intervient :

— Mais vous connaissez cet Abu Oumma, vous savez qu'il détient les mineurs, vous savez où il est... Pourquoi ne rien faire ?

Talérand la regarde dans les yeux :

— Qui vous dit que les mineurs voudront rentrer ? Ils sont partis de leur plein gré, même si leur cerveau a été retourné. Persuadés de régénérer le monde, ils veulent instituer le califat[2] en Syrie pour préparer la Troisième Guerre mondiale. Les ramener ou pas ? Qui sauver ? Adèle ou tous les autres ? Comment les sélectionner ? Quand et comment ? C'est une décision politique délicate.

Sophie ne comprend pas. Elle le lui dit. Il reprend :

— La Direction générale de la sécurité intérieure ne partage pas ses informations facilement, même avec d'autres services de police. Ses travaux sont secrets. C'est pour ça qu'elle est efficace. Pas de fuites... Mais une chose est certaine : ses agents craignent que les jeunes qui rentrent constituent des « cellules dormantes », des bombes à retardement qui exploseront sur le territoire français quand les chefs planqués en Syrie le décideront.

Sophie enrage. Il sous-entend qu'Adèle pourrait devenir terroriste. C'était mieux lorsqu'il parlait d'endoctrinement...

---

2. Institution abolie au siècle dernier qui consistait à reconnaître à un calife, qui se voulait successeur du prophète de l'islam, la gouvernance spirituelle et temporelle d'un territoire.

La suppression de l'autorisation parentale de sortie du territoire lui revient en mémoire. Elle rétorque de manière agressive :

– Tout de même, c'est bien le gouvernement qui a supprimé l'obligation d'autorisation parentale pour la sortie de territoire des mineurs ? Il ne se rend pas compte de sa responsabilité ?

– Effectivement, ils ont renforcé les mesures de contrôle en général et ont pensé que cette autorisation n'était plus nécessaire. Ils ne pouvaient pas imaginer que des mineurs français voudraient partir combattre en Syrie.

Pour Sophie, cette discussion devient insupportable. « Combattre », « terrorisme », « bombes à retardement »… Il n'y a pas tout ça dans la nouvelle Adèle. Parce que c'est encore son Adèle à elle. *Sa petite chérinette.* Savoir que le juge connaît le kidnappeur de sa fille et qu'on en parle comme ça, au sein d'un tribunal, autour d'une table, en buvant un café, la met mal à l'aise… Elle voudrait qu'on se mette à courir, à téléphoner, à s'organiser. Il faut faire vite. Chaque minute compte. Qu'on appelle l'ambassade de France en Turquie, le gouvernement turc… C'est par ce pays que les jeunes passent, si elle a bien compris… Que Philippe contacte des collègues turcs, syriens. Qui connaît-on là-bas ? Personne ne bouge. Les deux hommes avalent leur dernière gorgée comme à la fin d'une réunion. Sophie se lève et dit qu'elle a besoin de marcher. Elle voit flou mais avance à grands pas. Elle veut rentrer chez elle pour visualiser Alep sur la carte. Elle veut compter les kilomètres.

4

À peine la porte franchie, Clémence l'interpelle avec de grands gestes. Elle est toute rouge et parle au téléphone.

– C'est pas possible ! Elle aussi ? Non... C'est pas vrai... Son Facebook ? Nous aussi... Ah bon ? Comment ça, elle veut rentrer ? Comment vous le savez ? Je vous passe ma mère.

Sophie saisit le téléphone et entend une voix au débit rapide. Cette dame est de la banlieue proche. Elle a su pour Sophie par un agent de la Préfecture qu'elle connaît bien. Il s'est permis de lui donner son numéro. Elle veut dire à Sophie qu'elle n'est pas seule. Sa fille est partie depuis six mois. Elle allait rentrer à Sciences Po quand, en un été, tout a basculé. Ça s'est passé très vite. Sa fille lui a dit qu'elle se convertissait.

– Comment s'appelait-elle ? Sophie se reprend en bredouillant : Comment s'appelle-t-elle ?

– Célia. Et moi, c'est Nathalie. On doit se serrer les coudes.

Sophie n'a pas besoin de dessin, elle est d'accord avec la maman de Célia.

– Tout le monde s'en fiche, mais on va voir ce qu'on va voir. Ce sont nos filles.

Cette dame lui ressemble.

– Ça fait six mois que je dors Célia, je mange Célia, je respire Célia, lui dit-elle d'un souffle.

– Moi aussi, lui répond Sophie, en oubliant qu'Adèle est partie avant-hier. Une éternité.

– C'était jamais sans ma fille, c'était jamais sans sa mère. Même ses copines le lui reprochaient : elle préférait sortir avec moi ! On était collées serrées. Célia s'appelle Oum Wadoud maintenant.

Sophie répond en écho :

– Adèle s'appelle Oum Hawwa. Elle était très bonne élève aussi. Elle voulait faire médecine.

Nathalie la coupe :

– Ne parlez pas au passé. Elles sont encore là. Célia est en train de craquer, ça y est. J'ai dit à mon mari : tiens-toi prêt. D'une seconde à l'autre, on peut se retrouver à la frontière turque. On a vendu la voiture, comme ça, on a du liquide.

Nathalie raconte qu'au début Célia l'a laissée sans nouvelles. Puis elle l'a appelée en laissant échapper des messages courts prononcés du bout des lèvres.

– C'est dur, à ce moment-là, je préfère vous le dire : c'est elle et ce n'est plus elle, elle est là sans être là. Elle récitait : *« Je ne manque de rien, je mange bien, je suis dans une belle villa, Allah veille sur moi... »*

Puis, récemment, Célia a repris sa voix normale. Elles ont rediscuté.

– Parfois la conversation coupe brutalement. C'est qu'ils la surveillent, dit Nathalie. Quand ils sentent qu'elles craquent, ils coupent. Heureusement qu'elles sont chez Al-Nosra. Parce que chez les autres, pas le droit d'appeler la famille.

Sophie précise qu'Adèle n'a pas encore repris contact.

– Elle est chez Al-Nosra, répète Nathalie. Votre fille Clémence m'a lu sa lettre, c'est presque la même que la mienne, elles sont ensemble, ne vous inquiétez pas.

Sophie ne comprend pas pourquoi elle ne doit pas s'inquiéter. Nathalie ralentit son débit :

– Al-Nosra veut continuer à recruter des jeunes en passant par l'alibi humanitaire. Alors ils sont plus humains que les autres. Ils ne vont pas massacrer des mineurs puisqu'ils veulent en faire venir d'autres...

Sophie réagit mal. Nathalie ne va quand même pas répéter la chanson du juge ?

– Plus humains ? Ils nous ont enlevé nos filles en leur faisant croire que c'était la fin du monde ! Ma fille est seule au milieu des morts !

Nathalie se reprend :

– Bien sûr, je comprends et vous avez raison. Mais j'ai tant discuté avec Yamina... Son fils est avec l'EIIL. Il est puni quand il utilise les armes et qu'il ne réussit pas à égorger sa victime à mains nues... Leurs vidéos ne sont qu'une suite de meurtres et de massacres. Avec les émirs d'Al-Nosra, les jeunes doivent prêter allégeance à leur chef quand ils veulent se battre. Ce n'est pas obligatoire de partir au combat, ils peuvent s'occuper de l'organisation, des courses, de l'informatique... Et on les laisse appeler leurs familles, vous comprenez ?

Nathalie raconte qu'au fil des semaines Célia a demandé à recevoir des photos par SMS. Puis elle a exprimé des sentiments. Nathalie a deviné que c'était bon signe. Célia lui a même envoyé une photo d'elle sans son niqab, tête nue.

– Elle a pris des risques, sur le toit de sa maison. De toute façon, elle monte là-haut pour choper Internet, car ils la rationnent. Ils doivent sentir qu'elle leur échappe. Elle a dit qu'elle voulait rentrer. Elle a compris. Elle pense qu'elle trouvera le moyen. Alors voilà, on est sur le qui-vive. Vous verrez, Adèle va bientôt vous appeler.

Sa dernière phrase résonne comme une promesse. Sitôt le téléphone raccroché, Sophie va sur Google Maps. Elle parcourt les terres arides, version 3D, version réelle et version plan. 3 142 kilomètres à vol d'oiseau. Alep est là, sous ses yeux. Elle se rapproche à toute allure, survole les maisons. Instinctivement, elle observe les toits. Elle distingue des points noirs. Adèle fait-elle partie de ces points noirs ?

5

Affronter ses étudiants est, pour Sophie, au-dessus de ses forces. Elle ne tolèrerait pas leur légèreté, leurs plaisanteries. Même leur intérêt pour son cours serait insupportable. Qu'est-ce qu'elle s'en fiche aujourd'hui du rôle des femmes dans la Révolution française... Ça l'effraie : en vérité, elle n'accepte pas que ces jeunes continuent leur vie tranquille, insouciante, comme si rien ne s'était passé. On lui a pris sa fille et le monde continue à tourner ? Croiser ses collègues serait encore pire... Ils vont lui demander comment elle va. Que leur dire ? Qu'Adèle est partie « faire le jihad » en Syrie ? Qu'elle croit que c'est la fin du monde ? Qu'elle a pris Al-Qaïda pour une ONG ? Ces phrases sont grotesques, même sans les prononcer.

Ces salauds nous ont emportées toutes les deux, pense-t-elle tout bas. *Moi aussi je me retrouve kidnappée, dans un autre monde. Je ne peux parler à personne, qui me croirait ? Ils m'ont coupée de ma fille et ils m'ont coupée des miens, je ne fais plus partie de l'humanité.*

– Madame de la Vallière, vous ne vous sentez pas bien ?

Sophie a tendu son arrêt de travail à la secrétaire, a balbutié quelques mots d'excuse, puis a quitté le bâtiment, à grands pas. Elle ne se sent à l'abri que chez elle. Les lumières l'agressent, les éclats de voix l'agressent, les rires l'agressent, la vie l'agresse.

Une fois dans la chambre d'Adèle, elle attrape son téléphone pour appeler Nathalie, la seule personne au monde à qui elle peut parler. La tonalité retentit, quand un autre appel s'affiche. Elle appuie instinctivement sur *« Répondre au nouvel appel »*, le numéro commence par 00 963...

– Allô ? dit-elle timidement.

– *Salemaleykoum*, maman, c'est moi...

– Adèle ? Adèle ? Adèle ?

Sophie s'entend. Elle essaie de se calmer. Nathalie lui a donné des conseils. Impossible de s'en souvenir...

– Où es-tu, ma chérie ? Que fais-tu ? Ma chérinette, ma pucinette, mon bébé adoré... Qu'est-ce qu'ils t'ont fait ?

Sophie recommence à hurler. Elle pleure en fait.

– Maman, tu ne dois pas t'inquiéter. Je sais que tu dois souffrir. Mais je vais bien, je suis apaisée, je suis dans le droit chemin, dans les bras de Dieu, maman. Allah me donne tout ce que je veux. Tu ne peux pas comprendre, mais je mange bien, je suis dans une grande villa, c'est confortable, j'ai tout ce qu'il me faut...

Les mots « grande villa » lui évoquent quelque chose. Célia a dit la même chose à sa mère. Sophie s'en souvient. Nathalie lui a conseillé dans ce cas de lui proposer de l'argent. Ce qu'elle fait.

– Non, maman, nous sommes une grande communauté. Il n'y a pas besoin d'argent dans ce monde. On me donne tout ce que je veux. Je suis bien traitée. Nous sommes au service d'Allah, maman. Il nous protège. Si tu veux, tu peux me rejoindre.

– Où es-tu ? Oui, oui, oui, je veux te rejoindre !

Le téléphone a coupé.

Tout d'un coup, la voix de Nathalie traverse l'appareil.

– Sophie, vous m'avez appelée ?

Sophie n'arrive pas à parler. Elle n'en a pas envie. Elle s'accroche à ce qu'il reste d'Adèle. *Elle m'a dit de la rejoindre. Elle m'a appelée maman. Je vais préparer mes valises. Il faut prendre des affaires chaudes ? Des draps et des serviettes ? Quel temps fait-il en Syrie ? Dois-je acheter une arme ? Comment passer la frontière ? Il me faut de l'argent, beaucoup d'argent. Sans que Philippe ne le sache. Il va m'empêcher de partir. Il va d'abord attendre un rendez-vous officiel, une action gouvernementale. Il va me prendre pour une folle. Attention, je dois être méthodique. Adèle va rappeler pour me donner l'adresse. Personne ne doit savoir. Et Clémence ? Je la prends avec moi. Je vais lui en parler. Elle va venir. On va ramener Adèle. Ils vont comprendre là-bas. Le juge a dit qu'ils parlaient français. Je vais leur expliquer. Tout est bien qui finit bien.*

– Sophie, ça va ? Vous m'entendez ?

Oui, elle l'entend bien. Sophie rapproche le téléphone de son oreille. Elle explique rapidement la situation à Nathalie. Ses phrases sont saccadées. Elle n'a pas de temps à perdre.

– Attention, Sophie, êtes-vous certaine qu'Adèle veut rentrer ? Cela me paraît bien rapide. Les jeunes ne reviennent pas à eux-mêmes en si peu de temps habituellement.

Sophie ne répond pas. Elle n'entend plus. Nathalie reprend :

– Je vais demander à un ami, Samy, de vous appeler. Il revient de Syrie...

Sophie ne comprend pas bien mais dit « *Merci à vous* » poliment et sort sa valise du placard. Peut-être ce Samy lui dira-t-il si elle doit prendre des pulls. Le téléphone résonne à nouveau.

– Allô ? Nathalie m'a demandé de vous appeler. Je m'appelle Samy. Je suis allé chercher mon frère de 14 ans. Je suis musulman pratiquant, madame, je suis revenu bredouille et j'ai failli mourir dix fois. En plus, je suis un débrouillard. Vous faites une grosse bêtise. Vous ne passerez pas la frontière vivante. Rien que l'hôtel, où il faut attendre, vous ne supporterez pas. J'avais des boutons partout. Ensuite, comment allez-vous trouver le chef ? J'ai mis six jours à le choper. J'ai arpenté la frontière, de *check point* en *check point*, en montrant la photo de mon frère. Ils me faisaient tous le même bla-bla : « *Pas de mineurs ici.* » Ils ne parlent pas français, faut baragouiner l'arabe. Moi j'étais tellement stressé que je ne comprenais plus l'arabe. Jusqu'à ce qu'un vieux me dise : « *Attends ici jusqu'à la nuit. Si l'homme qui passe veut te parler, il te parlera. Sinon, rentre chez toi, ou tu mourras cette nuit.* » Je me suis assis au pied du pylône, il faisait au moins 38 degrés, je n'avais plus d'eau. Je devais attendre ce mec qui passe. J'ai dû m'endormir.

Je me suis réveillé dans le coffre d'une voiture, comme dans les films. J'étais ligoté et cagoulé. Ils m'avaient drogué, tout tournait. J'avais du mal à respirer. J'ai eu un espoir. Je me suis dit : « *Ils ne m'ont pas tué.* » Quand la voiture a stoppé, j'entendais les conversations, ça criait dans tous les sens. Surtout en français. Des mecs s'engueulaient. Ils en avaient après un des leurs. Ils le menaçaient parce qu'il n'avait pas égorgé ses victimes, il avait juste tiré. Puis on a repris la route, enfin... le chemin. J'ai dû m'évanouir. J'avais le corps entier en feu, et ma bouche, je ne la sentais plus. Je ne savais pas si j'étais empoisonné ou endormi. La voiture a encore stoppé. Cette fois-ci, j'ai compris qu'on était arrêté par un groupe ennemi, à cause des coups de feu. Ils ont ouvert le coffre. Je ne voyais toujours rien. J'ai pensé que j'allais mourir. Mais ils m'ont attrapé et balancé de toutes leurs forces dans un autre coffre. Je souffrais, je respirais mal, mais j'étais vivant.

Des heures plus tard, on est arrivé. Ils m'ont ôté la cagoule. Je suis resté ligoté. Devant moi, il y avait Abu Oumma. Celui des vidéos. Il a été correct. Il m'a dit : *« Je t'ai sauvé la vie. »* J'ai répondu *« Merci. » A priori*, c'est un autre groupe qui m'avait kidnappé, et lui m'avait récupéré. Il m'a demandé : *« Tu veux voir ton petit frère ? »* et j'ai répondu *« Oui »*. On a traversé des rues, on est entré dans une des nombreuses maisons bourgeoises. Il y avait Hocine, mon petit frère, qui a fondu en larmes en me voyant. *« Je veux rentrer, qu'est-ce que j'ai fait... »* Le chef a dit : *« Cinq minutes. Après, c'est fini. »* Ensuite ils nous ont séparés, puis ils m'ont enfermé dans une salle, menotté à un mur. Par la fenêtre, je voyais des jeunes qui s'activaient dans tous les sens. Des mineurs, à mon avis. Le sous-chef, Abou Talib, jubilait devant ma surprise : *« Tu diras à ton gouvernement de* koufars[3] *qu'ils arrivent tous les jours. Et ce n'est pas fini. Ça ne fait que commencer. On va vider la France, on va vider l'Europe... On va prendre notre revanche. Ensuite on*

---

3. « Mécréants », en arabe.

libèrera nos frères massacrés en Birmanie, en Centrafrique, en Palestine. C'est l'heure de la vengeance et de la justice. »

Je n'ai pas vu les femmes. Elles devaient être ensemble, ailleurs. Les non-mariées, en tous cas. Mais des garçons, il y en avait de partout. Une ville entière de Français... Et ça ne parlait que français. Ils regroupent leurs recrues par langue. Y'a Al-Nosra français, Al-Nosra anglais, Al-Nosra marocain, Al-Nosra tchétchène, Al-Nosra syrien, etc.

Je suis resté plusieurs jours comme ça, menotté, à l'intérieur. Ils me détachaient pour manger et pour boire. Ils parlaient normalement avec moi. Ceux qui disent que c'est une secte sont loin du compte. C'est pire qu'une secte. Ils sont à fond dans leur truc. Ils ne parlent que de ça : le jihad, instaurer le califat en Syrie, puis le combat final, puis la fin du monde. Ils n'ont pas arrêté de me demander pourquoi je ne restais pas. J'ai répondu que, pour un individu, le jihad, ça ne voulait pas dire tuer, c'était faire un effort sur soi pour être bon, dans le Coran. Ils ont tiré en l'air, sur les lustres en verre de la maison : « *Tu te fais avoir par ces traîtres de salafistes qui vous racontent n'importe quoi ! Voilà pourquoi aucun musulman ne peut rester en Occident ! La terre de Satan ! Ils disent qu'il y a des conditions pour faire le jihad ! C'est faux ! Pour imposer le Vrai Islam, tu fais ce que tu veux ! Dieu nous a élus ! On détient la Vérité ! Soit tu es un traître, soit tu es avec nous !* » J'ai cherché un autre prétexte. J'ai pensé à ma mère qui est seule. Mon père nous a quittés l'année dernière. J'ai dit : « *Elle est vieille et malade, je peux pas la laisser, l'islam l'interdit, le paradis est au pied des mères.* » Mais ils avaient réponse à tout : « *Ben, ramène-la, on vous donne la villa rose, comme ça elle meurt ici, elle va au Paradis aussi.* » Alors j'ai dit qu'on n'avait pas les moyens. *« Un déménagement Paris-Alep, ça casque. »* Ils ont répondu calmement : *« Pas de problème, on est une communauté, combien tu veux ? »* J'ai compris que l'argent coule à flots là-bas. Par qui ? Je ne sais pas. Tout ce que je vois, c'est qu'ils ont tous de l'argent. Je crois qu'ils touchent un salaire, carrément. C'est ça que je ne comprends pas. C'est pas eux qui paient le gourou, c'est le gourou qui paie ses troupes. Bref, au bout d'une semaine, Abou Talib est revenu. Il m'a dit : *« Tu n'es pas des nôtres alors ? »* J'ai rappelé que je voulais ramener mon frère : *« Il n'arrête pas de pleurer sur Facebook. Ça rend ma mère malade. Tu l'emmèneras pas au paradis, ça. »* Je l'ai affronté. Je l'ai regardé en face et je lui ai dit : *« Tu fais croire aux gosses qu'ils viennent pour l'humanitaire, et après tu les mènes au combat. »* Il a articulé : *« Seuls ceux qui combattent auprès du Mehdi iront au Paradis. »* Je lui ai répondu du tac au tac : *« Et tu te prends pour le Mehdi ? »*

Sophie, vous vous appelez bien Sophie ? Le Mehdi, c'est le dernier imam musulman, descendant du Prophète, qui va réinstaurer le califat et le message de Dieu. Alors ces voleurs d'enfants se prennent pour des prophètes. Il m'a dit : *« Démerde-toi pour rentrer. Je te laisse sain et sauf. Tu es dans les mains d'Allah. »* J'ai tout de suite capté et j'ai rétorqué : *« Ça ferait mauvais genre de tuer un musulman qui vient chercher son petit frère ? Ça baisserait ton recrutement ? »* Il a souri. On m'a détaché. Et là, j'ai vécu les pires moments de ma vie. J'ai failli me faire abattre comme un lapin par les rebelles syriens. J'entendais tirer de partout. Ils m'ont vu partir du camp des jihadistes et m'ont pris pour un des leurs... À moins que ce soient ceux de l'EIIL qui voulaient me récupérer... C'est la guerre interactive là-bas. Chacun se fait massacrer par l'autre. Les Syriens, ils se font éliminer par tout le monde : Bachar el-Assad, les groupes d'Al-Nosra et ceux de l'EIIL... Les groupuscules intégristes exterminent tous ceux qui ne pensent pas comme eux. Ils s'en foutent qu'ils soient musulmans ou pas. La vie n'est laissée qu'aux Véridiques. Les Véridiques, c'est le nom de leur secte.

Sophie, vous ne pouvez rien faire. Juste rester en vie chez vous au cas où un miracle se produisait. On ne sait jamais... Si Adèle revient à elle mentalement, on réfléchira ensemble. Le plan de sortie ne sera pas facile mais, au moins, Adèle nous donnera des renseignements. En attendant, ça ne sert à rien de mourir, ça ne vous rendra pas votre fille. Vous avez un autre enfant, et Adèle a encore besoin de vous. Il faut prier, Sophie. Dieu est grand. Je vous laisse.

6

– Sophie, tu ne me parles plus. Qu'y a-t-il ?

Philippe regarde d'un œil ahuri l'état chaotique de la chambre. Il ramasse machinalement un pull qui traîne par terre et pousse les habits jetés pêle-mêle sur le lit pour s'asseoir à côté de sa femme. Sophie a les yeux dans le vide, le téléphone à la main. Elle ouvre la bouche avec difficulté, comme si chaque mot pesait une tonne :

– J'ai eu Adèle au téléphone.

– Tu as eu Adèle ? Quand ? Où est-elle ? Qu'a-t-elle dit ? Elle est en bonne santé ?

– Elle est dans une grande villa, elle ne manque de rien et elle va bien.

– Comment ça, *« elle va bien »* ?

– C'est ce qu'elle prétend, articule Sophie faiblement.

Philippe s'assied et l'enlace. Sophie s'effondre :

– On dirait une étrangère...

– Pourquoi dis-tu ça ?

– Elle parle comme un robot.

– Elle ne nous réclame pas ? On ne lui manque pas ? murmure Philippe.

– Elle m'a dit qu'on pouvait la rejoindre et le téléphone a coupé. Mais, honnêtement, je n'ai pas eu l'impression qu'entendre ma voix lui faisait quelque chose.

Sophie voit Philippe se raidir.

– Ils lui ont retourné le cerveau... Mais comment ont-ils fait pour qu'elle nous oublie ?

Il s'est levé d'un coup et a cassé le miroir d'Adèle. Le sang dégouline sur la tapisserie rose. Sophie ne panique pas. Elle part chercher un gant et du coton, elle essaie d'ôter les bouts de verre dispersés un peu partout. Il ne dit plus rien. Elle non plus. À quoi bon ?

Puis il se retourne, rouge vif :

– C'est ta faute ! Tu l'as trop couvée ! La fusion, c'est jamais bon. Je le dis depuis dix ans. Tu n'écoutes personne. Madame l'idéaliste ! Eh bien voilà !

Elle reste debout la bouche ouverte, avec ses cotons imbibés de sang dans les mains. Les larmes ne montent même pas. Elle sait qu'il se protège, qu'il a besoin d'un coupable, qu'il veut une explication rationnelle. Il ne supporte pas de ne pas maîtriser. Mais là, elle le trouve tellement injuste qu'il en est pathétique. Sophie a le cœur sec. Elle éprouve une grande solitude. Où est Clémence ?

Clémence n'a pas décollé de son ordinateur depuis trois jours. Elle a réussi à récupérer pas mal de données d'Adèle et essaie désespérément de comprendre. Adèle a créé des dossiers secrets bien rangés dans son ordinateur qui s'appellent « La purification », « La croyance aux anges et sa répercussion », « Les angoisses du jour dernier », « Le voyage vers

l'éternité », « Les signes précurseurs de la fin du monde »...
Clémence passe des heures à lire ces écrits. Sophie suppose
qu'elle essaye de se rapprocher de sa sœur. Elle a aussi sélec-
tionné des passages de conversation avec son « nouveau frère
Moustapha », qui est devenu son « prince Moustapha » : la
salutation religieuse s'est allongée, ils ne se disent plus *Salem*
ni *Salemaleykom* mais *As salam alaykoum wa rahmatulahi wa
barakatuh*... Ces échanges sur Facebook sont parfois
surréalistes :

– Dis-moi ce que tu aimes, c'est important pour nous plus
tard, *Inch Allah*...

– J'aime les pommes et les légumes, je n'aime pas le salé, je
n'aime pas qu'on me commande et j'aime Moustapha...

Il lui répond :

– Moi j'aime Allah et la vérité d'Allah.

D'autres fois, il s'énerve quand elle ne répond pas :
« Quand je te dis de m'appeler, tu m'appelles. Je te veux pieuse
et soumise à Allah et à moi. »

A priori pour se faire pardonner, il ajoute *:* « Je suis tellement pressé de voir tes deux petits yeux sous le niqab... »

À la grande stupéfaction de Sophie, Adèle le prend comme
une déclaration d'amour et ça la touche. Elle lui envoie des
smileys figurant des cœurs roses et des lèvres qui font un
baiser. Il réagit violemment : « Je ne suis pas encore ton mari.
C'est péché de m'embrasser. C'est péché de m'envoyer des
cœurs. N'oublie pas, si tu serres la main d'un autre homme, je
ne t'épouserai pas. Je te veux pure. »

Sophie relit cette dernière phrase. Saluer les autres
humains la salirait ? Elle comprend qu'il veut la couper de
tout.

Apparemment, Adèle a parfois essayé de résister, car Moustapha lui adresse des réponses de ce type : « Laisse pas Satan te mettre un doute, il joue sur le sentiment de la famille. Que ceux qui ne croient pas fermement ne t'ébranlent pas. Au début tu vas être testée et même plus, et Allah verra ce que tu éprouves pour Lui. C'est normal que ta famille réagisse à tout cet amour... »

Par moments, il fait semblant de l'abandonner, comme s'il était déçu : « À ce que je vois, Satan a eu raison de toi, l'épreuve est trop forte pour toi, qu'Allah te guide alors, je ne peux rien te dire de plus... »

Puis il passe à la menace : « T'as pris un engagement, t'as dit la *shahada*[4], tu t'es convertie et ce n'est pas rien, peut-être qu'ici tu as ta famille mais, dans l'au-delà, tu auras quoi ? Rien. J'ai peur pour toi ma sœur... »

Il reprend enfin en se voulant rassurant : « Ne doute jamais de ton Créateur, ne laisse personne te barrer la route, ne laisse jamais les regrets entrer dans ton cœur... Place ta confiance en Allah, Allah te suffit, Allah ne lâche jamais une de ses créatures. Invoque-le de toutes tes forces en tournant les mains vers le ciel... »

Clémence se lève et se prépare. Nathalie a appelé ce matin : elle organise une mobilisation place de la République, avec d'autres parents « orphelins ».

---

4. Profession de foi que l'on récite, notamment lorsqu'on se convertit à l'islam : *« Il n'y a de Dieu que Dieu et Mohamed est son prophète. »*

– Viens, Maman, ça nous permettra de rencontrer Nathalie.

Sophie la suit dans la salle de bains et se poudre le nez comme un automate. Elle attrape des tickets de métro sur le guéridon et ferme la porte.

7

C'est toute une épreuve de se retrouver écrasée dans une rame de métro contre des gens normaux. Certains discutent, d'autres blaguent. Sophie s'appuie sur Clémence, qui la serre dans ses bras. Elles sortent du souterrain et repèrent facilement le café de la République, c'est le seul au milieu de la place. On distingue déjà des caméras et des micros qui pendent au bout de grandes perches. À l'intérieur, une jeune femme est debout sur une chaise et tente de scotcher une banderole sur le haut d'un mur. Dessus, on distingue la photo d'un bébé dans ses bras avec une inscription : « *Jamais sans Assia.* » Clémence dit à sa mère que le mari de cette femme a basculé dans le radicalisme et a enlevé leur bébé pour aller mourir en Syrie. « *Ça fait cinq mois.* » Nathalie en a fait le symbole des enfants kidnappés. Cinq mois... la tête lui tourne.

Nathalie a pris le micro. Elle a une toute petite quarantaine d'années, des yeux vert vif et des cheveux châtains. Elle n'est pas grande mais dégage tant d'énergie qu'elle capte toute l'attention de la foule rassemblée :

– Venez toutes autour de moi, dit-elle en se tournant vers les autres femmes.

Clémence pousse doucement sa mère. Elles se regroupent en se regardant timidement. Il y a là des jeunes et des plus âgées, des styles BCBG et des plus simples, des Nordiques aux yeux bleus, des Méditerranéennes de tous genres et une maman visiblement d'origine africaine. Elles sont une bonne douzaine de mères sur la petite estrade.

Aux premières paroles de Nathalie, leur timidité disparaît et elles se resserrent :

– Assia a aujourd'hui 23 mois. Elle a été arrachée à sa maman, à sa maison, à sa vie, à son futur, à son éducation, pour être retenue en otage en Syrie. Depuis cinq mois, elle est seule au milieu des bombes et des morts. Depuis cinq mois, son père l'a enlevée parce qu'il croit qu'ils doivent mourir tous les deux « en martyrs ». Il y a aussi Fatima, juste 15 ans ; Élise, juste 16 ans, et tous les autres... Ces enfants étaient comme vous et moi. Et tout d'un coup, en moins de deux mois, les radicaux ont utilisé Internet pour les persuader que, la fin du monde arrivant, ils devaient se sacrifier pour sauver de l'enfer ceux qu'ils aiment. Ou pour leur faire croire qu'ils partaient faire de l'humanitaire. Ils sont maintenant séquestrés mentalement et physiquement, coupés de leurs familles, désincarnés, déstructurés, endoctrinés, déshumanisés, quelque part en Syrie. Certains sont morts, laissant leurs parents meurtris et hébétés, comme Pascal, Marc, Caroline, Mohamed, et bien d'autres.

Là on entend une mère étouffer ses sanglots. Quelqu'un saisit la main de Sophie. Elle fait la même chose. On lui chuchote : *« Elle a perdu son beau-fils et son fils, le premier est mort au combat, le deuxième dans une explosion... C'est ce que le SMS qu'elle a reçu de Syrie lui disait, en tous cas... »*

Nathalie est lancée :

– Depuis plusieurs mois, dans l'indifférence générale, des enfants ou des jeunes adultes partent en Syrie pour mourir à la suite d'un endoctrinement sectaire fulgurant. Ces enfants sont en danger. Nos enfants sont en danger. Aujourd'hui, nous réclamons la protection de nos enfants.

L'attention de Sophie se relâche quelques secondes, et quand elle se reconnecte, Nathalie clame :

– Combien d'enfants la France va-t-elle encore laisser mourir ? Combien d'Assia, de Pascal, de Sarah, de Sandra, de Jean-Baptiste, de Nicolas, de Mohamed devront encore être sacrifiés avant que les pouvoirs publics ne réagissent ? Va-t-il falloir attendre un suicide collectif, comme celui de la secte du Temple solaire, pour que le gouvernement bouge ?

Le Temple solaire, mais oui bien sûr... Eux aussi se prenaient pour des élus de Dieu qui donnaient et reprenaient la vie pour la transporter on ne sait où... sur les autres planètes. Sophie avait parcouru quelques témoignages pour un roman, puis elle avait abandonné. Cela lui paraissait trop irréaliste...

Les photographes mitraillent le groupe de femmes et les journalistes leur posent des questions. Ils cherchent des coupables. Que le gouvernement ait supprimé l'autorisation parentale pour sortir de France choque tout le monde. Cela rassure Sophie.

Ils viennent la voir un à un. Au début, elle hésite un peu. C'est sa vie, sa fille, sa souffrance. Puis elle commence et ne s'arrête plus. Elle enchaîne. Elle répète son récit dix, quinze, vingt fois, pour la radio, la presse écrite et même les caméras. Ils sont tous là : BFM, la 1, la 2, la 3, les télés arabes, il y a même des Japonais et des Suédois... Elle fait la promotion de son Adèle à elle, et ça lui fait du bien.

– Non, elle n'était pas difficile. Non, elle n'était pas en échec scolaire. Non, elle n'était pas rebelle. Pas de conflits familiaux non plus... Une fille équilibrée, brillante, gentille et belle. Ça nous est tombé dessus comme ça, d'un coup d'un seul !

Une journaliste enceinte a les larmes aux yeux. Elle en perd sa neutralité :

– Quelle bande de salopards, quand je pense qu'ils se disent musulmans...

Un peu plus loin, on entend Nathalie qui ne se calme pas.

– On est tous là, sauf le gouvernement ! On lance une pétition pour demander au Premier ministre de ne pas abandonner ces enfants partis en Syrie, avec Assia en tête de liste, notre bébé à tous ! Rendez-nous nos enfants !

Un caméraman belge demande s'il ne faudrait pas réfléchir à un crime de « viol psychique », ou au moins à un délit de manipulation mentale. Nathalie répond que ces tentatives juridiques ont échoué.

– L'une d'elles était portée par un curé ! Il était bien placé pour faire la différence entre religion et dérive sectaire... Il n'y a que la loi About-Picard sur laquelle on peut s'appuyer et qui a été votée... en 2001 ! Elle permet de punir un délit d'abus de faiblesse. Une belle avancée... Mais les juges veulent que la plainte soit déposée par les victimes.

– Aberrant ! retentit une voix grave au fond de la salle. C'est donc qu'ils n'ont rien compris ! Par définition, l'emprise mentale empêche de prendre conscience qu'on est victime ! Personne n'adhère à une secte ! Tous les endoctrinés se sentent libres comme l'air !

À l'autre côté du café, la maman d'Assia répète une énième fois son histoire : quand son mari était musulman pratiquant, il était travailleur, généreux avec tous, fréquentait toute sorte d'amis. Et puis « ils » lui ont mis la main dessus. Enfermé avec l'ordinateur, il ne partageait plus rien avec elle. Il était dans sa bulle et elle dans la sienne. Quand il sortait, il parlait « avec eux » de ce qu'il avait vu sur Internet et non avec elle. En deux semaines, il s'est arrêté de travailler, n'a plus parlé à personne sauf à ses « nouveaux amis », l'a enfermée à la maison et a jeté toutes les poupées et peluches d'Assia. Meriam a compris. Les musulmans ne s'y trompent pas : ils savent distinguer l'islam du radicalisme. Ils n'ont pas besoin de psychologue pour comprendre. Meriam est partie chez sa mère et a engagé une procédure de divorce. Son mari venait voir Assia. Puis il a fait mine de redevenir normal. Il a racheté un nounours et une Barbie, un joli maillot de bain rose. Meriam s'est sentie un peu rassurée. Lorsqu'il a demandé à emmener la petite à la piscine, elle s'est dit que le cauchemar était fini. Il redevenait normal. Elle a même préparé leurs serviettes préférées, la grande bleu marine pour lui, la petite turquoise pour Assia. Et puis voilà, à 18 h 00, toujours personne. Elle s'est affolée. C'était la panique. Une sorte d'instinct animal qui lui a pris les tripes... Un grand danger planait. Mais jamais elle n'aurait pensé à la Syrie.

Le dimanche midi, il l'a appelé de Turquie : *« Je vais en Terre Sainte. Nous serons en sécurité là-bas. Et si nous mourons, nous mourrons en martyrs. Rejoins-nous, si tu nous aimes encore. »* Meriam a appelé la cellule de crise du Quai d'Orsay. Ils ont répondu : *« Pour nous, votre mari est en situation de voyage avec son enfant. »* Les journalistes le lui font répéter deux fois.

Une autre maman renchérit :

– Mon mari m'a enlevé mes trois enfants là-bas. Le Quai d'Orsay ne m'a pas aidée. Il m'a demandé de signer un papier. C'était marqué : *« Je soussignée déclare avoir été prévenue des dangers que j'encours si je me rends en Syrie récupérer mes enfants. »*

Les témoignages s'enchaînent. Deux mères et un père avaient signalé la disparition de leurs enfants, et pourtant... ceux-ci ont passé tranquillement la frontière. Il y avait deux mineurs parmi eux. Un couple avait pisté le rabatteur qui avait séduit leur fille, recherché par la police comme terroriste. Même scénario : les jeunes ont quand même pris l'avion, deux semaines plus tard.

Un bruit court dans la salle. On entend :

– Ça les arrange que nos gosses aillent se faire tuer là-bas. C'est bon débarras. Dans leur tête, ils sont devenus musulmans. Alors ça fait des « présumés terroristes » en moins... Leur seul problème, c'est d'envisager qu'ils puissent revenir en France...

Les journalistes sont abasourdis. Pouvoir parler et être écoutées, voilà qui apaise ces familles.

De retour dans le métro avec Clémence, Sophie est vidée de ses forces mais soulagée et tournée vers l'avenir. Parler de ce cauchemar à haute voix lui a redonné de l'espoir. Raconter la même chose à plusieurs voix les a rendus crédibles. Ce qui était impossible à expliquer apparaît maintenant comme un fléau national. On se bat plus facilement contre un ennemi qui existe aux yeux de tous... Clémence est aussi visiblement soulagée. Elle réfléchit à voix haute à la suite de la lutte pour que le gouvernement « fasse quelque chose ».

Mais quand Sophie met les clés dans la porte, c'est un autre tsunami qui les attend. Philippe est hors de lui. Il les a vues à la télé, en direct, et sort de ses gonds :

– Mais comment avez-vous pu me faire ça ? J'ai mis vingt ans à construire ma réputation ! Je me présente aux élections européennes ! Et vous... Vous partez pavaner devant la France entière avec des inconnus en criant que ma fille est jihadiste... Vous passez en boucle, là !

Son bras pointe l'écran plat.

– Mais Sophie, où as-tu la tête ? Toi aussi, on te connaît... N'as-tu plus aucune pudeur ? N'as-tu plus de discernement ? Et tes étudiants ?

Sa voix est sèche, remplie de mépris. Il claque la porte en sortant de l'appartement.

Auparavant, Sophie l'aurait sans doute suivi et aurait hurlé dans les escaliers : *« Ma fille n'est pas une jihadiste ! »* Elle aurait rajouté : *« Je savais que tu étais nombriliste mais à ce point, je n'aurais jamais cru. »* Sophie a envie de lui dire qu'il est devenu imbu de lui-même. Mais là, elle doit se préserver, garder des forces. Elle sait que Philippe a changé. Par moments, il est comme dans une bulle. La seule chose qui l'intéresse, ce sont ses recherches. Sa femme et ses filles ont parfois le sentiment d'être accessoires... Mais Sophie est incapable de le quitter. Elle a choisi de l'aimer ainsi. Pour autant, sa vie ne repose pas sur la sienne. Elle a ses filles, ses étudiants, ses amis, ses romans historiques. Le tout la rend heureuse. Et Philippe a des bons côtés. Quand ils préparent la salade du dimanche midi tous ensemble en écoutant Chopin, c'est sympa. Quand ils refont le monde ensemble aussi.

8

– *Saleymaleykom*, maman...

– Bonjour, ma puce...

Sophie se sent tout intimidée.

– Je t'appelle pour te dire que c'est pas bien de parler de moi à la télé.

– Mais, Adèle, tu comprends bien que je m'inquiète ! Tu dois rentrer ! Tu ne peux pas rester dans cette secte qui te retourne le cerveau !

– Ne dis pas n'importe quoi... J'ai choisi de me reconstruire. Dans les bras de Dieu, je sers à quelque chose, je vais régénérer l'univers avant qu'il n'explose. J'ai pris conscience qu'il faut agir, car la fin du monde est pour bientôt. C'est écrit que je dois avoir ce rôle. Quel temps ai-je perdu, que Dieu me pardonne !

– Adèle ! Adèle !

– *Oum Hawwa*, si tu veux me parler. Je ne suis plus Adèle.

– Ma petite fille... Tu peux te régénérer ailleurs qu'au milieu des bombes, non ? Tu dois voir des choses horribles...

– Je préfère voir des choses horribles que d'être aveugle...

– Rentre, je te promets que...

– Uthman Ibn 'Affan-rahimahullâh a dit : « *Se soucier de la* Duniya *noircit le cœur, se soucier de l'Au-Delà illumine le cœur.* » La *Duniya*, c'est la vie en ce bas monde, maman. Tu es trop matérialiste. Tout ce qui t'intéresse, c'est de retrouver ta fille. Sache que je ne suis plus ta fille. J'appartiens à Allah. Jamais je ne reviendrai sur la terre des mécréants. Même si ton gouvernement de *koffars* vient me chercher avec une armée, on les exécutera jusqu'au dernier, la Vérité vaincra, on n'a peur de rien. On aime la mort plus que vous aimez la vie.

Sophie entend la tonalité du téléphone retentir dans le vide. Adèle a raccroché. Ou « ils » ont raccroché. Pour la première fois, la peur fait place à la colère. Si Adèle était là, elle lui donnerait une bonne claque pour la faire revenir sur terre. Ça lui fait du bien, rien que d'y penser.

Clémence est partie faire quelques courses car il n'y a plus rien à manger. Sophie attrape ses clés et part rejoindre Nathalie. Celle-ci a décidé de tenir une permanence chaque après-midi, dans un café discret. Elle lui a demandé un coup de main. Quand Sophie arrive, cinq autres mères sont là, dont deux qui participaient à la conférence de presse place de la République.

Nathalie annonce que Nadia, une copine psy qui a étudié l'emprise que peuvent avoir les sectes sur les personnes, va les rejoindre. *« Pour nous aider à communiquer avec nos filles... »*

Sophie acquiesce. Elle en a bien besoin. Elle raconte la litanie récitée par Adèle au téléphone. Elles connaissent la chanson.

– Toi tu as de la chance, intervient une jeune femme, elle est partie directement. Moi je l'ai vue changer sous mes yeux d'abord. Une fois, elle m'a carrément traitée de putain parce que j'étais bras nus. Je lui ai filé une baffe, je n'en pouvais plus. J'aurais dû aller direct au commissariat pour la bloquer aux frontières. Qu'est-ce que je regrette... Mais l'assistante sociale du collège m'avait rassurée, elle me disait que les convertis à l'islam font toujours du zèle... Du coup, je n'ai pas bougé, et puis voilà...

Fatima prend la parole :

– Moi ça a commencé par les repas. Elle ne voulait plus rien manger. Pourtant, on achète de la viande halal chez nous. Mais Sarah avait décrété que le porc était caché partout, y compris dans les yaourts. Que c'était un complot organisé par les mécréants et les sionistes. Elle nous sortait chaque jour une liste réactualisée de E 302, 303... de plusieurs pages qui prouvait la présence de gélatine de porc dans tous les plats industriels. Même la mayonnaise, elle n'en voulait plus ! Elle ne mangeait que des pâtes, des légumes frais et des fruits. Mon mari s'est souvent énervé. Moi j'essayais la pédagogie, en lui apprenant à vérifier ses sources, surtout sur Internet. Je fais souvent ça avec mes élèves : sur quel site avez-vous pris cette information ? Comment vérifiez-vous sa crédibilité ? Mais avec Sarah, rien à faire... Elle était persuadée de posséder la vérité. Je passais pour une ignorante manipulée, un comble... Avec son père, on a pris ça pour une crise d'adolescence. Un peu comme les anorexiques... On pensait qu'elle s'opposait à nous. Si on avait su...

Sophie n'ose pas dire qu'elle ne connaît pas exactement le sens du mot *halal*. Et pendant qu'on y est, elle demanderait bien d'où vient l'interdiction de manger du cochon. Elle réalise qu'elle ne sait rien de l'islam. Elle a compris qu'Adèle n'était pas vraiment musulmane, mais embarquée dans une de ses dérives sectaires. Mais quand même, elle se croit musulmane. *Et j'ai bien envie de comprendre comment c'est possible*, se dit-elle.

La psy arrive et dit bonjour gentiment. Elle s'appelle Nadia et s'est spécialisée dans l'analyse des phénomènes d'emprise mentale et d'endoctrinement. Jusque-là, elle a publié quantité de livres où elle montre la différence entre l'islam et le radicalisme. Elle raconte quelques anecdotes des cas qu'elle a traités et ce n'est pas très gai. Il y a beaucoup d'amalgames entre islam et radicalisme dans les discours politiques, dans les médias, mais aussi dans les institutions : profs, éducateurs, juges... Cela n'aide pas les jeunes à y voir clair. Elle dit qu'on va comprendre et construire ensemble. Personne ne maîtrise cette nouvelle forme d'enfance en danger, liée au radicalisme religieux.

« Enfance en danger » est une expression qui fait du bien aux femmes du groupe. Chaque mot qui donne du sens à ce que chacune ressent dans son coin les soulage.

Dorthea prend la parole. Sophie ne la connaît pas. Elle explique être d'origine norvégienne, anthropologue divorcée d'un professeur d'origine italienne. *Encore un professeur*, se dit Sophie. Ils sont surreprésentés dans cette affaire. C'est sa fille, en première année de fac, qui a basculé la première dans la fratrie.

— Elle est devenue « chauve-souris », déclare Dorthea.

Cela fait sourire nerveusement trois mères en même temps. Sophie, elle, n'a jamais vu Adèle en chauve-souris, sauf sur Facebook, et ça lui a suffi.

— Sandra s'est mise à détruire toutes les images de la maison, poursuit-elle.

Et comme Dorthea est une collectionneuse, ramenant des statuettes et des tissus de ses voyages aux quatre coins du monde, le conflit s'est vite envenimé.

Dorthea s'y connaît mieux que Sophie en islam. Cela fait partie de son métier. Elle explique que les images sont interdites au sein des mosquées par fidélité au prophète Mohammed qui avait détruit les idoles.

– Avant l'islam, chaque tribu se disputait pour imposer son idole. En transmettant l'existence d'un dieu unique rassembleur, cela devait amener la paix...

Les femmes du groupe ne disent rien mais n'en pensent pas moins.

Dorthea poursuit son récit. Sa fille s'est mariée religieusement avec un radical et l'a suivi en Égypte. Ce dernier l'a fait accoucher sans assistance médicale quatre ans de suite. Les trois premières fois, le bébé est mort à la naissance. La quatrième fois, Sandra est décédée et il s'est enfui avec le bébé. Dorthea livre l'histoire de sa fille à toute allure comme si elle ne voulait pas entendre ce qu'elle débite. Elle esquisse un petit sourire de clown triste :

– Même à distance, avant de mourir, elle a eu le temps d'endoctriner sa jeune sœur. Je suis là pour elle. Elle est à moitié endoctrinée à moitié paranoïaque, surtout depuis le décès de sa sœur aînée, je ne sais pas comment m'en sortir.

Un ange passe et Nadia intervient :

– Vous avez presque toutes des filles. Je propose que l'on prenne les choses par un bout. Cette histoire de chauve-souris... Ce drap noir qui efface les contours du corps ressemble à une enveloppe ou à une carapace, vous ne trouvez pas ? Si je vous demande si vos filles avaient tendance à vouloir se protéger du monde extérieur, vous me répondez quoi ?

Micheline prend la parole :

– Je suis mariée avec un Marocain. Il croit en Dieu mais n'aime pas les religions. Il dit que ça divise les hommes. Bref, notre petite Nora s'est toujours enfermée dans une bulle. Dès la maternelle, la maîtresse m'a convoquée parce qu'elle ne faisait pas de dessins. Elle ne se mélangeait pas aux autres enfants. Ça a continué en primaire. Elle avait du mal au contact des autres. Son instit me disait : *« Elle est dans son monde. »* On lui a fait des bilans psychologiques, qui montraient une difficulté relationnelle. Rien de nouveau. Mais aucun diagnostic n'avait décelé d'autisme. On a mis en place un suivi. Ça n'a servi à rien. En sixième, elle rejetait carrément son entourage. Elle trouvait qu'il y avait trop de monde, elle se braquait. Son apprentissage était ralenti. Elle ne communiquait pas non plus avec ses profs. On l'a envoyée en établissement spécialisé. Elle était au-dessus du niveau, mais les classes étaient moins chargées. Le suivi était plus individuel. Donc elle supportait mieux. Pendant seize ans, ses enseignants m'ont dit : *« Elle est là sans être là. »* Que fallait-il que je fasse ? Un de ses frères lui ressemble : il n'aime pas le bruit, reste isolé, toujours dans son coin... Va-t-il partir en Syrie lui aussi ?

Une jeune femme prend la parole à son tour :

– Moi, il s'agit de ma nièce. Si vous me demandez de réfléchir à son envie de rentrer dans une bulle, je vous réponds « oui » tout de suite. Son père était violent et a même abusé d'elle. La mère a porté plainte et le père a menacé de se suicider. Il a été incarcéré, mais Aurore n'avait pas le droit d'en parler, à cause de son frère aîné qui possède un caractère bien trempé. Dans la famille, tout le monde avait peur qu'il tue son père s'il apprenait la vérité. Alors oui, si on lui a présenté l'islam comme une bulle, c'était facile. Et la Syrie comme le paradis de la bulle, c'était du tout cuit. Je comprends mieux pourquoi elle a l'air si sereine là-bas, malgré le bruit des bombes.

Une autre enchaîne :

— Si l'on doit parler de bulles, ma famille a une histoire particulière avec la religion : je suis d'origine juive, baptisée catholique parce que mes grands-parents avaient peur et se sont cachés toute leur vie. Dieu était « the tabou ». On habitait l'Alsace et les cours de religion étaient obligatoires là-bas. Mes parents détestaient toutes les religions et ont cherché l'établissement qui fonctionnait le moins bien : j'ai été inscrite chez les protestants, car le prof enchaînait les hospitalisations. Inutile de dire que je me suis mariée avec un athée. Aline n'a jamais parlé de religion jusqu'à son départ en Syrie.

Sophie cherche désespérément pourquoi Adèle aurait besoin d'une bulle. Mais Nadia enchaîne :

— Est-ce que, par hasard, vos enfants ont subi un deuil récemment ?

Là, Sophie lève la main et elle s'aperçoit que presque toutes les femmes du groupe font de même. La rencontre avec la mort a donc souvent précédé l'endoctrinement. Elles se sourient nerveusement, comme des enfants arrivés au but *ex aequo*.

9

Quand Sophie repart chez elle, quantité de phrases s'entrechoquent dans son cerveau. *Il faut absolument qu'on se soutienne et qu'on comprenne*, se dit-elle.

Nadia a résumé le processus : « *séduction, dépersonnalisation, reconstruction d'une nouvelle identité automatisée* ». Elle a parlé d'« *anesthésie affective* ». Sophie répète à haute voix : « *Adèle est affectivement anesthésiée. Elle est dépersonnalisée et anesthésiée.* » Ça lui fait un bien fou, parce qu'après l'anesthésie, il y a la phase de réveil. Sauf dans un cas sur mille...

Philippe a commandé une dizaine de livres sur l'endoctrinement sectaire. Quand Sophie écoute les médias, c'est l'horreur : « *Deux jeunes Français ont encore rejoint les rangs d'Al-Qaïda. On en est à plus de sept cents...* » À les entendre, ces enfants ont choisi de partir. Ils se sont réveillés un beau matin et se sont dit : « *Hop, j'ai envie de faire le jihad !* » Depuis le rassemblement de la place de la République, plus personne ne parle de kidnapping moral. La pétition « Rendez-nous Assia et nos enfants » mise en ligne atteint péniblement les 6 000 signatures en trois semaines. Où sont passées les larmes de compassion ?

« *Elle est partie de son plein gré* », avait dit le policier. Mais l'univers d'Adèle est déformé ! Sa pensée raptée ! Ses objectifs faussés ! Elle ne fait que réciter : « *Je suis dans les bras de Dieu...* » Elle protège son gourou qui se prend pour Dieu. C'est le syndrome de Stockholm ! Sauf que son statut de victime n'est pas reconnu.

Le portable de Sophie vibre. C'est Carine, une mère rencontrée au café des orphelines. Elle est tout affolée. Elle a reçu un texto qui lui dit : « *Merci pour votre consentement au mariage d'Élodie.* » Elle suffoque tellement que Sophie a du mal à la comprendre.

– Réponds que tu n'es pas d'accord. Dis-leur qu'elle n'a que 15 ans. Laisse une trace écrite et tu me rappelles tout de suite. Ils veulent se protéger en cas de procès.

Sophie regrette cette dernière phrase. On ne voit pas quel type de justice peuvent subir ces tyrans sanguinaires, ils mourront avant, c'est leur but.

Après avoir raccroché, Sophie appelle Nathalie, sans succès. Elle est déjà en ligne. Elle essaie alors Meriam, la mère du bébé Assia. Elle est dans le même état que Carine.

– J'ai reçu un texto de là-bas, comme quoi je suis déchue de mon statut de mère. Il veut se remarier. Il m'annonce qu'Assia va avoir une autre mère. Il n'a pas le droit de dire ça !

Pauvre Meriam... On la croyait au maximum du cauchemar, mais il y a toujours pire.

– On peut faire ça en islam ? demande Sophie, naïve.

Meriam éclate au téléphone :

– Mais qu'est-ce qu'ils en ont à faire de l'islam, ces tarés ! Tu crois qu'ils m'auraient pris mon bébé s'ils étaient musulmans ? Tu crois qu'ils auraient pris ta fille ?

Sophie se mord les lèvres. Elle se sent aussi stupide que le planton du commissariat ! Elle essaye de réfléchir à froid :

— Puisqu'il communique avec toi, peut-être veut-il quelque chose ? Il aurait pu aussi ne rien te dire... Pourquoi te parle-t-il de remariage ? Pour te rendre jalouse...? C'est complètement idiot comme idée ?

Meriam soupire :

— Non, je crois que c'est possible. Il est persuadé de devoir mourir là-bas pour aller au paradis. Il est dans son monde à lui. Mais il a besoin de me narguer. Pourquoi ? Un coup, il me fait croire qu'Assia est morte, un coup qu'elle est malade. La dernière fois, il m'a dit qu'il partait au combat avec elle sur le dos ! Il lui a mis le bandeau noir des jihadistes et m'envoie cette photo... Est-ce pour me torturer toujours et plus ? Entre deux menaces, il m'ordonne de le rejoindre, pour que je meure avec eux. Je te le dis franchement : si j'étais sûre de revoir Assia avant de mourir, j'irais. Et qu'est-ce que je m'en fiche qu'il se marie avec une jeune perle innocente...

Le nom de Nathalie s'affiche sur l'écran du portable de Sophie. Le mariage d'Élodie lui revient à l'esprit.

— Attends, Meriam, je réponds à Nathalie et je te rappelle.

Elle explique à Nathalie le mariage imposé à Élodie et la déchéance du statut de mère infligée à Meriam.

Nathalie réagit en un éclair :

— Les salopards, ils vont marier Élodie au mari de Meriam !

Sophie n'avait pas envisagé ce scénario. Elle reste clouée sur son tabouret à essayer d'y voir clair. Nathalie lui dit qu'elle doit rappeler Meriam pour avoir des renseignements.

Carine a envoyé son texto et n'a pas reçu de réponse. Elle a tenté de rappeler le numéro qui lui expédiait le message, mais en vain. Sophie lui propose de tenter de joindre sa fille, histoire d'avoir confirmation. Mais impossible. Ça sonne aussi dans le vide. Sophie a la chair de poule en pensant à Adèle.

Quand Nathalie rappelle Sophie, elle lui confirme l'information :

— Élodie et le mari de Meriam sont dans le même camp. C'est Célia qui les a vus ensemble : la petite Élodie et le bébé Assia. Elle vient de les reconnaître.

— Et Adèle ?

— Oui, Adèle est au même endroit.

Sophie en éprouve un certain soulagement : *au moins ma petite puce n'est pas toute seule entourée de barbares,* se dit-elle. Le fait de pouvoir l'imaginer avec la fille de Nathalie, celle de Carine et le bébé lui fait reprendre un peu espoir. Elle repense aux paroles de Samy. S'ils redeviennent normaux, on pourra faire un plan de sauvetage. *Oui, il y a peut-être un peu de lumière au fond du tunnel. Elles pourraient unir leur force pour s'enfuir. Mais il faut se calmer, ne pas trop espérer.*

Son corps tremble. Elle essaye de se contrôler. Une fois le téléphone raccroché, des phrases et des mots résonnent dans son crâne. Elle se retourne tel un robot vers la télé et monte le son. Et là, seule, debout dans le salon, devant l'écran, Sophie se retrouve face à des têtes coupées. Des caméras ont filmé trois terroristes, qui traînent des cadavres. Ils jouent avec des morceaux de corps.

Le salon était le havre de paix, l'espace familial. Les yeux de Sophie se posent sur un dessin d'Adèle encadré sur le mur. Elle la revoit encore le lui donner, toute fière, en rentrant de l'école. Elle avait 5 ans, elle était si fragile et si forte à la fois. Toujours collée à elle : « *Tu me manques, mamaman.* » Sur le dessin, on voit une grande maison avec son papa, sa maman, sa sœur et elle. Le soleil est dans la maison. Une douleur brûle la gorge et le ventre de Sophie.

Respirer, il faut respirer lentement. Le voile qui lui brouille les yeux s'efface lentement. Elle revient à la réalité. Aujourd'hui plus de dessins animés sur l'écran de télé, mais des têtes coupées ensanglantées. *Les terroristes ont pris possession de ma fille et de mon salon,* se dit-elle. Les trois jihadistes parlent français :

– Avant on traînait des side-cars dans la baie de Nice, maintenant on traîne des mécréants.

Clémence s'approche de Sophie et lui prend la main. Ce qu'elles ont vu et entendu les glace.

– Alors ceux-là, pas sûr qu'ils soient partis en croyant faire de l'humanitaire, murmure Sophie.

Clémence hoche la tête :

– Tu crois qu'Adèle les croise ? Ils n'ont plus rien d'humains. Que va-t-on en faire s'ils ne meurent pas là-bas ?

Elle devient toute rouge et baisse la tête.

– J'ai honte, mais on dirait des monstres.

Sophie prend Clémence dans les bras et la serre fort.

Philippe vient de rentrer et s'approche.

– Pardon, les filles.

Il s'écroule, en larmes. Ils se serrent tous les trois.

10

Les mères ont pris l'habitude de se retrouver au café chaque après-midi. Elles l'ont rebaptisé « Le rendez-vous des mères orphelines ». Elles sont toutes en arrêt maladie... Pas une n'arrive à travailler. Deux ou trois nouvelles les rejoignent chaque semaine. Sophie ne sait pas exactement comment elles sont au courant... Peut-être par les journalistes, le Quai d'Orsay, ou les services de police... Toujours est-il que le groupe s'agrandit. Les pères passent de temps en temps, mais les mères restent.

Et puis, il y a Samy, qui vient régulièrement. Il travaille à une cinquantaine de kilomètres, dans la banlieue nord de Paris. Il prend sa voiture pour venir au rendez-vous des mères orphelines tous les samedis. Il est devenu le régulateur du groupe. À chaque fois qu'une mère craque, qu'elle veut rejoindre son enfant, il raconte la Syrie.

Aujourd'hui, Karima a été sauvée.

Elle est auxiliaire de puériculture. Son ex-mari a endoctriné et amené ses deux fils à Alep, un mineur et un jeune majeur. Elle raconte que le petit pleure quand elle arrive à l'avoir au téléphone. Tout comme le frère de Samy et la fille de Nathalie. Il la supplie de venir la chercher, il lui raconte ses cauchemars, son désir de ne plus voir de sang et de retourner à l'école. Il jure qu'il fera ses devoirs tout seul. Karima n'arrive plus à s'occuper des enfants des autres. Elle n'arrive plus à vivre avec ce trou béant qui a remplacé son cœur. Elle ne veut plus qu'une chose : les rejoindre. Elle lui dit : « *Je viens te chercher* », mais il répond : « *Tu peux rentrer mais tu ne sortiras pas* ». Avec la complicité de son médecin, elle a scanné un certificat médical et l'a envoyé par mail à son fils. Le médecin a indiqué qu'elle allait subir une opération à cœur ouvert, très dangereuse. Le petit l'a montré à son émir. Il a promis qu'il allait voir sa mère et qu'il revenait tout de suite. Abu Oumma a rigolé : « *Tu te crois en colonie de vacances en Syrie ?* » Le petit s'est effondré, il a récité une parole du Prophète : « *Mais le paradis est au pied de ma mère[5].* » Le chef l'a regardé en souriant : « *Si tu veux le paradis, dis-le moi, je t'y envoie tout de suite.* »

Alors Karima veut aller mourir en Syrie. Les voir une dernière fois et mourir avec eux. Samy a été direct :

– Tu vas mourir sans les voir. Tu mourras sous les coups des terroristes, de l'armée de Bachar el-Assad, des rebelles syriens, des mafieux... Et ton fils qui veut rentrer n'aura plus aucun espoir. Et il portera ta mort.

Karima s'est ravisée. Pour le moment.

Rachel a encore sa fille. Des voisins l'ont avertie : une fois dans les escaliers, la jeune fille enfile un grand drap noir

---

5. Parole du Prophète connue de tous les musulmans. Les paroles du Prophète constituent la Sunnah, deuxième source de l'islam après le Coran.

avant de sortir. Rachel ne les a pas crus et a fouillé la chambre. Sous le lit, elle a trouvé deux grands jilbabs, un marron et un bleu marine, et un niqab tout noir. Entre les deux, un tapis de prière, qui renfermait des petits livres aux titres évocateurs. Sophie les reconnaît. Ce sont les mêmes que les fameux dossiers secrets rangés par Adèle dans son ordinateur : « La purification », « Les angoisses du jour dernier », « Le voyage vers l'éternité », « Les signes précurseurs de la fin du monde »... Rachel s'est écroulée pendant trois jours, sans oser le dire à son mari. Mais il s'en doutait. Depuis plusieurs shabbats, Yaël refusait de boire le petit verre de vin. Elle s'asseyait du bout des fesses à la table familiale, ne prononçait plus la prière et restait figée. Au lycée, le meilleur de Paris, la petite est passée de 18 à 2 de moyenne en quelques semaines. Quand le père a fouillé la chambre à son tour, il a trouvé un plan d'attaque terroriste, caché dans son cours de maths. Les parents tiennent un magasin de luxe sur les Champs-Élysées.

– La bombe est prévue dans notre vitrine, articule difficilement Rachel.

Elle paraît encore plus frêle que tout à l'heure. Elle a les traits arabes. Sophie aurait juré qu'elle était d'origine marocaine.

Comme pour se justifier, Rachel ajoute :

– On n'est pas orthodoxes. On fait le shabbat pour maintenir la tradition. Mes parents étaient très pratiquants, mais nous le sommes juste pour l'histoire, la mémoire, le lien... Je n'empêche pas Yaël d'avoir des copains, de fréquenter qui elle veut. Je l'ai mise dans un lycée public... Elle a plein de copines musulmanes...

Les femmes échangent des regards car elles se demandent où Rachel veut en venir. Elle poursuit :

– Quand j'ai parlé avec elle, c'était l'enfer éveillé. Elle m'a traitée de sale juive, de sioniste, de massacreuse d'enfants.

Elle reprend sa respiration :

– Pourtant, elle sait très bien que ni son père ni moi ne sommes pour la politique du gouvernement d'Israël. On tient à ce pays, mais on milite contre l'extension des colonies et le massacre des civils palestiniens. Le non-respect du droit international ne fera pas cesser le terrorisme du Hamas. Depuis toujours, on milite pour que la Palestine soit reconnue et que les deux États puissent vivre en paix.

Elle poursuit son récit en larmes :

– Yaël s'est mise à hurler. Elle nous a demandé ce qu'on comptait faire. Si on allait la vendre à la police... Elle a dit qu'on perdrait, que Dieu est plus fort que les mécréants. Que c'est pas parce qu'on est juifs qu'on continuera à commander le monde. Que c'est la guerre. Que la vérité vaincra.

Rachel n'arrive plus à parler. Samy pose sa main sur son épaule et prend la parole :

– Pour justifier leur action, ils ont besoin de faire croire que tous ceux qui ne sont pas comme eux sont des ennemis à éliminer. Al-Qaïda repose sur la redéfinition du jihad. Normalement, en islam, seul un gouvernement peut décider de se mettre en légitime défense si son territoire est attaqué, et selon des conditions très strictes. Il y a un lien entre un peuple, un territoire et le jihad défensif. Le jihad n'est jamais individuel : comme dans les autres religions monothéistes, seul Dieu décide de la vie d'un homme. C'est un des proches de Ben Laden, Abdallah Azzam, qui a rompu avec quatorze siècles d'interprétation de l'islam : il a décidé que le jihad était une obligation individuelle pour tout musulman quel que soit le territoire attaqué. Cela lui a permis de déclarer infidèles les musulmans qui n'étaient pas d'accord avec lui. Zawahiri, un autre personnage clé d'Al-Qaïda, a ensuite systématisé l'élimination des « infidèles de l'intérieur ». Il promulgue l'idée que le combat contre les apostats doit précéder le combat contre les infidèles. Ces gens-là trouvent toute leur force dans leur paranoïa vis-à-vis de toute personne extérieure à leur groupe : les autres musulmans, les chrétiens et les juifs, mais aussi toute autre communauté rencontrée sur leur passage...

Nadia intervient en douceur. Elle explique que la théorie du complot permet aux intégristes de justifier leur propre haine.

– Ils donnent l'impression aux jeunes endoctrinés qu'ils ressentent les mêmes sentiments. Avoir la même grille de lecture renforce la fusion au sein du groupe.

Sophie rajoute :

– Ça aide à les couper des autres aussi.

Nadia hoche la tête :

– Leurs vidéos sont très bien faites. Elles partent de certains faits réels, puis font appel à l'émotionnel exacerbé de celui qui les regarde, elles le dépriment, le paniquent, avant de l'exalter et de le galvaniser. Elles prouvent aux jeunes qu'on vit dans un monde de mensonges : ça commence par la vache folle, les OGM, ça enchaîne sur des passages troubles de la guerre d'Algérie, puis des magouilles d'État, et on en arrive à la conclusion de complots des francs-maçons, puis des sionistes et enfin des juifs. Le jeune se sent en sécurité, car il est chez lui, dans sa chambre, et il absorbe ces discours édifiants dans un état de stupeur tel qu'il en perd toute faculté de discernement. Au bout d'un moment, il n'arrive plus à distinguer sa contestation des injustices et le rejet pur et simple du monde réel. Vient le moment où on le persuade d'accepter l'idée que seule une confrontation totale avec ce qu'il identifie comme les forces du mal est indispensable, inévitable et salutaire pour protéger les faibles.

Rachel se mouche.

– Quand même, faire en sorte que ma fille élevée dans l'humanisme me traite de sale juive et nous déclare une guerre sainte, ils sont forts, très forts...

Les femmes du groupe se regardent. Elles ne savent que répondre. C'est vrai qu'ils sont très forts.

11

Le lendemain à la même heure, au café des mères orphelines, Nadia se penche sur les histoires des garçons. L'humanitaire n'a pas l'air d'être leur première motivation. Elle fait parler Hélène : son fils est encore là, lui aussi. Il a coupé les liens avec tous les membres de sa famille, sauf sa mère.

Il est encore question de complots. Sophie se dit que c'est une étape commune à tous ces jeunes. Thomas est parano. On dirait qu'il s'est converti pour appartenir à un groupe persécuté. Il ne parle que de ça, persuadé que le *« satanisme est partout »*... Rachel soupire :

– Décidément... Vous avez raison, Nadia. Ça fait partie de leur stratégie...

Hélène raconte :

– Par exemple, il va plier l'étiquette d'une boisson orange-fruits rouges de telle façon qu'il prétend voir ainsi apparaître la tête du Sheitan[6], qui tient le monde avec ses deux mains. Il pointe le triangle des francs-maçons qui figurerait ainsi au milieu de l'étiquette en disant : *« Tu vois bien la chauve-souris*

---

6. Diable, en arabe.

sanguinaire qui suce le sang des pauvres gens là-haut, c'est le diable. Forcément, c'est parfum orange-fruits rouges, la couleur du sang... » Thomas ne veut plus de cola non plus. Il met le logo face à une glace et nous déclare : *« Mais tu vois bien, c'est écrit en arabe "Non à Mohamed, non à La Mecque"...* »

Nadia hésite : est-il fragile psychologiquement, en crise mystique ou endoctriné ?

Thomas est hypersensible. Depuis toujours, l'ésotérisme et le paranormal l'attirent. Hélène ne sait pas pourquoi. Elle et son mari sont plutôt athées. Ils ont consulté un psy.

– Thomas projette sur les autres la représentation de ce qu'il fuit, explique Nadia. La paranoïa est une défense : on attribue au monde extérieur des qualités, des sentiments, des désirs que l'on refuse en soi-même.

– *So what* ? interroge Hélène en ouvrant des yeux ronds. Il a été soigné, ça n'a rien changé. Maintenant, il a trouvé son assurance tous risques contre l'angoisse : un groupe qu'il suit comme un automate. Un lien total qui le recentre.

– Oui, dit Nadia, il peut basculer : un gourou va le rassurer, le déresponsabiliser, puisqu'il va renoncer à la vie pour lui. Il faut le surveiller.

Hélène est paniquée.

– Le surveiller, c'est facile à dire, il est majeur... Si j'appelle la police, on va me répondre qu'il est libre d'aller et venir où bon lui semble. Même en Syrie.

Nadia répond qu'elle a entendu une rumeur selon laquelle le gouvernement réfléchit à la façon dont il pourrait protéger les majeurs. Il va y avoir des changements de lois. C'est ce qu'on raconte, en tous cas...

Les raisons de s'engager des garçons sont multiples. Chacun part avec sa mission et incarne son personnage. Ça va de l'abbé Pierre à Terminator.

Jean-Bernard, une autre victime, s'identifie plutôt à Lancelot. C'est un nouveau chevalier : au lieu d'être soumis à l'Église et de mettre son épée au service du pape, il fait allégeance aux Véridiques... Comme les chevaliers du Moyen Âge, il est courageux, généreux et fidèle. Avant la Syrie, il aidait les personnes âgées. Pendant six mois, il a soutenu un ami qui tombait dans la drogue et qui est finalement mort d'une overdose. À la mort de son ami, il a décidé qu'il voulait devenir éducateur spécialisé.

– C'était un cœur à vif, dit Nicole, sa mère. Il voulait être utile.

Il est parti sans prévenir. Jamais elle n'aurait pensé à la Syrie. Il avait bien fait quelques remarques... *« C'est un génocide, ce qui se passe en Syrie. »* Nicole acquiesçait : *« Bien sûr que c'est un génocide en Syrie. »* Une fois là-bas, il téléphonait à sa mère pour la préparer à sa mort. *« On se retrouvera là-haut, maman. »* Il n'a jamais participé aux combats. Mais, un beau matin, elle a reçu un SMS. On lui apprenait sa réussite : Jean-Bernard avait mené sa *mission* et gagné le paradis. Comment ? En se faisant exploser lors d'un attentat suicide dans un camion... Nicole a le visage creusé, les yeux secs. Elle ne doit plus pleurer. Jusqu'à aujourd'hui, elle ignore ce qui est vraiment arrivé. Savait-il que son camion était miné ?

Sophie pense à son dernier roman. L'Église a promu les chevaliers en héros des croisades contre les musulmans. En combattant pour le Christ, ils avaient l'assurance d'une vie éternelle après la mort. L'Église assurait la rémission des péchés à ceux qui tuaient les infidèles. Quand on pense combien l'Église était opposée à toute guerre aux débuts du christianisme... Ils ont changé d'avis pour les Croisades. En devenant chevalier, on s'éloignait du bas peuple, on s'élevait dans la société. On prêtait serment, la main sur l'Évangile, on recevait ses armes et le pouvoir militaire.

Est-ce Abu Oumma qui fournit la kalachnikov ? Sophie imagine Adèle, sa petite princesse, faisant allégeance à genoux la main sur le Coran devant Abu Oumma qui la regarde avec un bazooka à la main. Elle est toute en noir et lui tout en blanc. Ils ont tous les deux une ceinture d'explosifs qui tient leurs habits amples. La voix de Nadia la fait revenir à elle, mais l'image reste là.

– Jean-Bernard s'est sacrifié pour l'histoire et la postérité. C'est l'idéal chevaleresque : je vais vous sauver malgré vous.

– Oui, oui, dit Nicole, il répétait : *« Ne t'inquiète pas, je t'aime encore, mais ma mission est plus forte que la raison. Je te prendrai avec moi, on se retrouvera. »*

Nathalie s'en mêle, toujours pragmatique :

– Voilà pourquoi Abu Oumma leur permet de maintenir le lien avec les parents.

Nadia confirme :

– L'opération de sauvetage est double : arrêter le massacre de Bachar el-Assad et mener sa famille non musulmane au paradis.

Au moment de lever la séance, arrive un père que le groupe reconnaît, car il témoigne dans les médias. Il est de l'Est de la France. Personne ne sait comment, mais son fils est rentré de Syrie. Certains disent qu'il a payé une rançon. D'autres que le chef terroriste a viré son fils, à cause de son asthme... Et certains prétendent que le petit est parti *« parce qu'il s'embê-tait »*. Il était frustré de ne pas combattre... Qu'il ait pu rentrer vivant reste un mystère pour Samy et « les mères orphe-lines ». Quelques mots sont échangés avec ce père. Il est déprimé car son fils est sous contrôle judiciaire. Ils habitent loin du tribunal et tous ces allers-retours là-bas, ça lui prend tout son temps. Impossible pour le jeune de reprendre une scolarité normale... *« Ça n'encourage pas les jeunes à revenir, cet accueil »*, conclut le père.

Les parents orphelins lui souhaitent bon courage, les coor-données s'échangent.

– Son fils est en photo sur Facebook avec une kalachnikov, dit Nathalie une fois qu'il est parti. C'est pour ça, le contrôle judiciaire. Il est parti pour combattre.

Nicole corrige :

– Il est parti pour l'aventure, je crois. J'ai lu qu'il avait été refusé à l'armée. Il a postulé aux parachutistes... Comment être un homme ? C'était ça, sa question. Il voulait avoir peur, une vraie peur.

Nathalie plisse les yeux :

– Savoir s'il a des rêves d'Indiana Jones ou de Terminator, *that is the question...* L'armée n'a pas voulu de lui, il a fait sa guerre à lui. Comment savoir s'il cherche l'aventure ou le combat ?

Nadia nuance :

– Je dirais que c'est un mélange des deux. Les garçons cherchent une communauté de combat, avec une bonne dose de risque. Ils se confrontent à Dieu : ça passe ou ça casse. Si ça passe, ils se prennent pour Dieu. C'est la grande différence entre un croyant et un fanatique : le premier se soumet à l'autorité de Dieu pour faire le bien, le second s'approprie l'autorité de Dieu, en son nom propre, pour commander le monde. Les psys connaissent ce type de jeunes : ils cherchent les limites et prennent des risques au volant, dans des relations sexuelles non protégées, dans des situations dangereuses...

Sophie revient sur le commentaire du père :

— Tout de même, ce monsieur n'a pas tort. Son fils rentre de son plein gré, et il écope d'un contrôle judiciaire. Ce n'est pas très encourageant !

— Lui laisser reprendre son bonhomme de chemin comme si de rien n'était ne lui rendrait pas service, intervient Nadia. Il n'a pas été endoctriné pour aller acheter une baguette de pain... La loi n'est pas seulement répressive, elle permet de reprendre pied dans le réel et de se reconstruire avec des nouvelles limites. En plus, il n'est pas incarcéré ! Il est juste contrôlé, c'est la moindre des choses. Peu importe pourquoi il est parti... Mais il a posté une photo qui le positionne comme un guerrier terroriste. Ce qu'il va falloir inventer, ce sont des critères qui permettent de mesurer sa guérison, son « désendoctrinement »... Comment savoir s'il a changé sa vision du monde ? C'est plutôt ça qui m'inquiète, et c'est ce qui va inquiéter les juges.

Sophie pose une question qu'elle retient depuis longtemps :

— Et les filles qui reviendront vivantes, ça se passera comment ?

— C'est aussi une vraie question... Les juges se demandent comment ils doivent les considérer. Des victimes ? Des complices actives ? Passives ? Partir avec un homme, lui laver son linge signe-t-il une adhésion à un projet terroriste ? Ou est-ce juste de la soumission ? Pour mettre en examen, les juges ont besoin de preuves de combat. Pour le moment, aucune femme ne s'y est engagée. Elles s'entraînent uniquement pour se défendre. Mais il arrive de trouver une photo d'elles sur Facebook avec une kalache. Si c'est un homme, c'est une preuve de combat. Si c'est une femme, qu'est-ce qu'on décide ? Et celle qui envoie sur son réseau social des photos de mains coupées en glorifiant son homme ? On la condamne pour terrorisme ou pour apologie du terrorisme ? C'est tout ça qui se discute en ce moment, entre experts...

Sophie ferme les yeux et regrette sa question.

12

À 16 h 00, Nathalie, Nicole, Carine, Meriam, Samy et Sophie sont place Beauvau. Angoissés, aucun des parents orphelins qui s'apprêtent à être reçus par le ministre de l'Intérieur n'ose parler. Que va dire le ministre ? Pourra-t-il faire le nécessaire pour ramener leurs enfants, leurs frères, leurs sœurs ? A-t-il des informations à leur donner ?

Sophie s'interroge. Sera-t-elle capable de garder son calme ? De ne pas se ridiculiser en explosant en larmes ? De ne pas s'énerver non plus ? Son regard croise celui de Meriam. Un profond respect l'envahit devant cette mère courageuse. Comment fait-elle pour rester debout, droite, dans ce petit sas qui va les mener à la cour du ministère ? C'est comme si elle attendait une sentence. Sophie revoit la photo d'Assia, avec sa jupe rose et son nounours... C'est grâce à la pétition que les mères ont lancée que le ministre les reçoit. Du moins c'est ce qu'elles pensent. Ça les rassure de se dire qu'elles ont été entendues. Heureusement que cette pétition mettait Assia en avant, c'est la seule qui fait l'unanimité. La France profonde l'a signée parce que c'était évident qu'Assia n'était que victime... Personne ne peut prétendre qu'elle voulait « faire le jihad » à 23 mois !

Pour les adolescents, c'est plus compliqué. Nadia, qui est devenue la porte-parole du groupe, peine à faire comprendre que ceux qui sont partis « volontairement » en Syrie sont, en réalité, endoctrinés. Ça va et ça vient. Il y a des hauts et des bas. Un jour le message passe, les journalistes reprennent ses termes, et puis non..., le lendemain ça régresse, on reparle de « candidats au jihad ». Les gens voient ça comme un problème musulman. Ça les protège : tant qu'ils se tiennent loin de l'islam, rien ne peut leur arriver. Ils ne sont pas concernés.

Et moi d'ailleurs, qu'aurais-je pensé si mon enfant n'était pas touché ? Me serais-je sentie concernée ? s'interroge Sophie. *On pense toujours que ça n'arrive qu'aux autres. À la disparition d'Adèle, des jeunes partaient déjà... Aurais-je pu voir ce que je n'ai pas vu ? Entendre ce qui n'était pas dit ?*

Samy, le seul homme du groupe, ferme la marche de la délégation des mères orphelines. Elles se soutiennent les unes les autres, un rien peut les faire tomber. Heureusement que Nathalie leur a présenté Nadia. Elle fait le lien entre les familles et met en mots ce qu'elles ressentent.

Elles posent leurs sacs à main sur le tapis de la machine à rayons X. Le portique de détection bipe à cause des bagues. Elles enlèvent leurs bijoux, leurs ceintures... *Adèle a-t-elle fait ces mêmes gestes à l'aéroport ? Ont-ils été ses derniers gestes en France ?* Une fois les contrôles terminés, le groupe traverse solennellement la cour du ministère. Cela leur fait bizarre de se retrouver là. C'est à la fois familier et étranger. Un monsieur en costume les conduit vers un petit salon, tout doré. Parmi les portraits accrochés aux murs, Sophie reconnaît immédiatement celui de Richelieu. Les canapés sont en cuir noir, style Ikea, avec un bar en métal moderne. Cela jure, dans ce cadre. Sophie aurait plutôt mis des grands canapés beiges, en velours de préférence. Les mères orphelines et Samy osent à peine s'asseoir.

Il y a une cheminée, toujours dorée. Sophie se demande si c'est une vraie. La porte s'ouvre et on fait entrer le groupe. Le ministre serre la main de chacun et fait asseoir tout le monde autour d'une table.

L'analyse de Nadia se confirme : le processus d'emprise mentale peut être reconnu par les autorités quand il s'agit d'un mineur, spécialement une fille. Pour un garçon, le vocabulaire dérive : les conseillers du ministre passent du terme « endoctrinement » à « embrigadement ». Quand Nicole prend la parole pour évoquer le cas de son fils, le terme *jihadiste* revient lorsque son interlocuteur lui répond. Probablement parce Jean-Bernard avait 25 ans quand il a réalisé « sa mission ». Nicole ne réclame qu'un acte de décès pour son fils. C'est dur de faire son deuil avec le simple SMS d'un inconnu terroriste. Pas de corps, pas d'enterrement, pas de papier officiel... Elle ne possède qu'un acte de « disparition provisoire ». C'est violent... Personne n'ose corriger les termes employés par les autorités. Les mères elles-mêmes ont mis du temps à ne plus parler de « conversion » et d'« islam », mais plutôt d'endoctrinement. Quand Nicole s'énerve, ça lui arrive encore de glisser. Mais Nadia les reprend toujours : *« Vous validez l'interprétation des intégristes chaque fois que vous reprenez leurs termes. Et vous leur donnez du pouvoir ! Ne parlez jamais d'islam. Il faut leur enlever cette justification. »*

Meriam demande le statut d'otage pour Assia : elle est Française, née en France, de mère française. Elle a 23 mois et a été kidnappée par un groupe armé. Le ministre et ses collaborateurs hochent la tête. Ils vont tout faire pour que ce bébé retrouve sa mère et son pays. Meriam est soulagée.

En ce qui concerne les mineurs, l'équipe gouvernementale veut surtout comprendre. Le départ d'une fille comme Adèle en Syrie est aussi mystérieux pour eux que pour Sophie. Pas de souci familial, scolaire, identitaire... Comment une jeune fille équilibrée a-t-elle pu se laisser persuader que c'était la fin du monde au point de partir sur un terrain de guerre avec des inconnus qui lui promettent d'aider les plus faibles ? Nathalie explique que sa fille avait le même profil : brillante, épanouie, bien dans sa peau... Elle en profite pour leur expliquer qu'elle s'est « auto-désendoctrinée » sur place et qu'elle semble avoir retrouvé sa clairvoyance :

– Quand elle a entendu l'homme avec qui elle a été mariée raconter ses égorgements de Syriens, elle a immédiatement compris : il n'y a pas d'humanitaire là-bas. Les jihadistes massacrent tout ceux qui ne sont pas comme eux. Elle cherche à rentrer, mais elle est séquestrée.

Une femme du ministère répond qu'ils n'ont pas de solution pour aller les chercher : envoyer une armée est impossible. Cela pourrait avoir des répercussions catastrophiques sur les relations internationales, et cela menacerait aussi la vie des enfants. Comment tous les ramener ? En prendre deux ou trois ? Et les autres ? Ne risqueront-ils pas d'être exécutés en guise de vengeance ? L'équipe ministérielle y réfléchit. Mais ils savent par expérience qu'on ne discute pas avec des terroristes. Ils ont l'air aussi inquiets que les parents.

– Discuter avec *« le terroriste »*, rectifie Nathalie. Ils ne sont pas cinquante à détenir nos enfants.

Les conseillers du ministère sont surpris de la précision de leurs connaissances :

– Vous êtes devenues de vrais détectives !

C'est le seul moment où les mères se détendent.

– Plus que vous ne le croyez, précise Nathalie. On a croisé des infos. On a même remonté des pistes. On donne tout à la police, sans résultat.

Un conseiller répond :

– Rien ne peut être fait sans passage à l'acte. Le délit d'intention n'existe pas dans le droit français. On a quantité d'individus sur écoute qui multiplient les discours de haine, mais on ne peut que les surveiller, pour les attraper à temps le jour où ils décideront d'agir. Même quand les jeunes sont sur le territoire syrien, les juges ont besoin de la preuve qu'ils ont participé à une organisation terroriste pour les mettre en examen.

Un autre complète :

– On est en pleine réflexion juridique. Tout cela devrait évoluer, mais cela demande un peu de temps. Il ne s'agit pas d'entraver les droits de l'Homme non plus...

Meriam en rajoute un peu :

– Tant mieux, parce que ces criminels veulent se faire passer pour des musulmans, mais ils se fichent de la religion ! Ils l'utilisent pour leur entreprise criminelle qui les rend millionnaires.

– Un des groupuscules cherche à s'approprier tous les puits de pétrole de la Syrie..., renchérit le conseiller.

– Bien sûr ! s'exclame Meriam. Ils revendent le pétrole aux mafieux du monde entier, tu parles de musulmans... Rapts d'enfants, égorgements, et mafia !

Timidement, Sophie rappelle que sa fille est mineure :

– D'accord, elle a suivi des inconnus. Mais si le gouvernement n'avait pas ôté l'autorisation parentale pour passer la frontière, elle serait encore là. Vous avez une responsabilité dans cette histoire.

13

Ce matin, Sophie a appris une bonne nouvelle : la fille de Carine n'a finalement pas été mariée. L'ex-mari de Meriam a fait machine arrière. Probablement qu'il aime encore sa femme. C'est bizarre de se dire qu'un terroriste peut être amoureux. Sophie se corrige toute seule : est-il amoureux ou considère-t-il que Meriam lui appartient et doit mourir avec lui quand il veut et comme il veut ? Il a pris comme une trahison le refus de Meriam de les rejoindre en Syrie. Son dernier SMS lui déclarait : *« Tu tiens à la vie, plus qu'à nous. »* Le paradoxe total.

Deux nouvelles mères attendent au café des orphelines. Elles viennent pour leurs filles. L'une est sourde et l'autre handicapée. Éva, la première mère commence son récit. Grande, mince, les cheveux châtains. Ses yeux marron emplis de panique regardent droit devant elle. Sa fille a 20 ans, elle est sourde de naissance. On ne sait pas pourquoi. Un bébé sur 50 000 vient au monde sans entendre, c'est tombé sur elle. Laure est appareillée, elle entend son prénom. Elle lit sur les lèvres et a passé son bac. Elle veut être éducatrice spécialisée pour les sourds. Puis elle a rencontré Aldo, également sourd. Mais lui communique en langue des signes. Ils sortent ensemble depuis deux ans et se sont convertis à l'islam. Éva ne sait pas pourquoi. Mais c'était plutôt bien : le jeune couple s'est installé dans un joli appartement, s'est épanoui, ouvert sur le monde et sur les autres. Et voilà, patatras ! L'autre jour, qu'est-ce qu'elle voit ? Un homme parlant par signes devant un rack d'armes sur le Facebook d'Aldo !

– Les sourds sont souvent naïfs, ajoute-t-elle. Ils rêvent tant d'avoir des amis entendants qu'ils sont manipulables à souhait. Mis à l'écart dès leur jeunesse, ils cherchent sans arrêt à se faire aimer, ce qui en fait des proies faciles.

Elle sort son ordinateur et met en marche la vidéo. Quand Sophie voit le barbu agiter les mains devant les kalaches, elle a du mal à réprimer un fou rire. C'est nerveux, mais c'est plus fort qu'elle. Nadia, arrivée entre-temps, commente :

– Je ne comprends pas tout, mais c'est pas un message d'amour !

Eva demande à celles qui l'écoutent ce qu'elles feraient à sa place.

– Récupérer Laure et la garder ! répondent-elles.

Doha, la deuxième mère prend la parole. Plus petite, plus frêle. Ses yeux noirs sont emplis de tristesse et de désespoir. Elle est l'ombre d'elle-même... Sophie comprend tout de suite que sa fille a dû partir en Syrie. Elle repère les stigmates des mères orphelines maintenant. Avant même qu'une mère ouvre la bouche, elle devine déjà si son enfant est encore là. Ou pas. Sa fille Sirine est née à 5 mois. Elle a un handicap mental et une malformation au bras. C'est une fille coura-geuse : elle a réussi un CAP, puis a commencé un Bac pro coiffure. Sirine est jolie, timide et gentille. Le matin, elle a pris le taxi qui la mène à son établissement spécialisé. Elle est entrée puis ressortie par la porte de derrière. Le responsable appelle normalement au moindre retard. Mais ce matin-là, trop de travail, il n'a pas remarqué son absence. Quelqu'un attendait la petite à l'extérieur. La caméra a filmé leur départ en Volvo. La famille n'a su que le soir, quand le chauffeur n'a trouvé personne. Ils ont appelé le commissariat, qui a dit qu'elle était majeure. La grande sœur a joint Police secours, qui a ordonné de retourner au commissariat. *« Ils doivent prendre votre plainte, c'est un majeur vulnérable. »* Ils y sont retournés. Et la plainte a été déposée.

Sirine a téléphoné de Syrie : *« Papa, maman, j'ai trouvé mon prince barbu ! »* La mère est folle de rage :

– On a connu ça en Algérie, les intégristes payaient des rabatteurs ! Tous les moyens étaient bons !

En fouillant l'ordinateur de leur fille, ils ont trouvé des indices. Elle n'avait pas de Facebook syrien, elle était inscrite sur « La rencontre des cœurs purs », un site matrimonial. La demande de Doha est très simple : pour sauver Sirine, doit-elle parler du handicap à ses kidnappeurs ou se taire ? Un débat s'engage. Nadia craint que Sirine ait basculé pour trouver un groupe où elle n'apparaisse pas comme une handicapée. Dans ce cas, pointer la déficience pourrait l'éloigner encore plus de Doha. En revanche, la secte peut la rejeter si elle apprend le handicap. Ce serait préférable, mais si Sirine change de groupe et ne donne plus de nouvelles ? Quelle attitude choisir ? Une question plus inquiétante est dans la tête de tous, mais personne ne la pose : et si, en apprenant son handicap, ils la faisaient exploser en premier ?

14

Philippe a reçu les bouquins qu'il avait commandés sur les sectes. Ça va du Temple solaire aux sectes de faux médecins, il y a des témoignages d'avocats, des analyses de sociologues, des expertises de psychiatres... Il souligne, met des croix et des points d'interrogations, pose des questions dans la marge, prend des notes et les surligne avec des couleurs différentes. Il vient de passer des heures entières à regarder avec Clémence les vidéos d'Abu Oumma sur Internet et n'en revient pas :

– Ce mec est plus fort que les gourous. Il exploite les techniques des sectes, manipule l'islam, surfe sur la modernité et la virtualité d'Internet... Pour te prouver la fin du monde, il fait un montage d'extraits de conférences de prix Nobel occidentaux... Pour te donner envie d'aventure, il diffuse des moments de batailles historiques... Pour te toucher au cœur, tu ramasses en pleine figure des images d'enfants massacrés... Pour te permettre de t'identifier, il montre des images de Brad Pitt transformé en nouveau prophète... Pour faire croire que c'est le vrai islam, il te met des citations religieuses... Il te mixe le tout avec une musique envoûtante, des rythmes répétitifs et des images chocs. Ses vidéos durent deux heures. Au bout d'un moment, tu lâches ta vigilance et hop ! Il te dicte ce que tu dois faire pour être dans la vraie vérité...

Avec ses livres, Philippe parvient aux mêmes analyses que les mères orphelines : l'identité du groupe des Véridiques remplace progressivement l'identité de l'individu ; l'endoctriné répète et fait ce que le groupe lui dit ; la raison s'efface au profit du mimétisme. Ce qui explique qu'Adèle et les autres soient dans une sorte d'état hypnotique.

– Pour être honnête, je ne suis pas sûre que quelqu'un dicte à Adèle ses paroles au téléphone, indique Sophie. Elle récite des balivernes auxquelles elle croit. Nathalie le disait avant moi : « *C'est elle sans être elle...* »

Philippe continue à marmonner :

– Les jihadistes se prennent pour des héros du Nouveau Monde, et les filles les voient comme leurs princes héroïques !

– Les terroristes, pas les jihadistes, corrige Sophie. *Jihad* signifie en islam « développer ses qualités pour être bon avec les autres », ce n'est pas tout à fait la même chose..., explique-t-elle fièrement.

– Terroristes..., marmonne Philippe.

Il a avancé dans sa réflexion par ses lectures, comme Sophie par le biais du groupe de parole. Sophie en profite pour lui parler de Nathalie :

– Nathalie dit que ça y est, sa fille craque. Elle est redevenue elle-même !

Philippe lève la tête :

– C'est ça qu'on doit étudier. Pourquoi ? Pourquoi redevient-elle normale ? À quoi Nathalie l'a-t-elle senti ?

Sophie lui répond que Nathalie l'a su d'abord au son de sa voix : Célia avait repris sa voix normale. Et puis au contenu :

Célia ne récitait plus. Elles pouvaient à nouveau avoir de vraies discussions.

– Célia est enceinte. Nathalie a fini par le comprendre. Au départ, elle en a pleuré. Je lui ai fait remarquer que si la grossesse ramenait Célia, c'était plutôt une bonne nouvelle. Mieux vaut en récupérer deux que la perdre.

Philippe réfléchit.

– Comme si la filiation se remettait en place dès que le fœtus bouge... Ça fonctionne à rebrousse-poil. Le bébé met Célia à une place de mère qui, à son tour, lui permet de renouer avec sa propre mère. Et forcément, le pouvoir du groupe s'amoindrit. Et la fille revient à elle. Il faut miser sur les questions de filiation.

Sophie est un peu dubitative. Nadia aussi lui a conseillé de travailler les affects : rappeler à Adèle les bons souvenirs de famille, les repas qu'elle aime, etc. Mais quand Adèle lui récite de sa voix de robot : « *Je suis jeune et j'ai la foi. Ô, Allah, guide-moi* », elle se voit mal lui parler de leur dernier pique-nique aux Buttes-Chaumont. Surtout que toute la famille s'était gavée de saucisson...

Personne ne sait exactement ce qui a provoqué le déclic chez Célia. Est-ce vraiment la grossesse qui l'a fait revenir sur terre ? Philippe réfléchit :

– Une chose est sûre, dans la logique des Véridiques, il n'y a pas de nuances. Tout se mesure en termes de pour ou contre, bien ou mal. T'es avec moi ou contre moi. C'est cette logique binaire qui permet à Abu Oumma de couper ses ouailles « des autres ».

Sophie aime ce Philippe-là. Constructif, opérant et brillant. Elle s'accroche à son raisonnement.

– En fait, il faut botter en touche. On ne doit pas être en miroir des Véridiques. On ne doit pas se situer sur le registre du savoir. Ça va renforcer leur pouvoir... C'est eux qui gagneront, puisqu'ils sont persuadés de détenir la vérité...

Sophie intervient pour apporter sa touche :

– Il leur dit que, de toute façon, ceux qui ne sont pas élus sont jaloux et qu'ils vont venir diviser pour mieux régner.

Philippe hoche la tête :

– Exactement. Il y a une trame paranoïaque dans ce fonds de commerce... On ne doit pas parler d'islam avec Adèle. On doit provoquer un déclic, un choc émotionnel...

– Un choc émotionnel à distance, c'est pas gagné, intervient Clémence, qui s'est rapprochée en entendant la conversation. À moins qu'elle assiste en direct à un égorgement...

Le portable de Sophie vibre. C'est Nathalie. Dès les premiers mots, Sophie comprend la situation :

– Ça y est, on s'en va. On part chercher Célia. Enfin, pour ça, faut qu'elle arrive vivante à la frontière. Son soi-disant mari part demain au combat à 5 h 00 du matin. Elle pense pouvoir s'échapper à 6 h 00. Elle va rejoindre la Turquie à pied. Elle n'est pas loin. Le problème, c'est qu'il lui a tout pris. Il sent tout, ce connard. Elle n'a pas un sou. Plus personne ne lui parle. Ils savent qu'ils l'ont perdue. Mais elle va y arriver... Ah... Sophie, je vais retrouver mon bébé... Mon bébé qui aura un bébé, tu imagines ? On va s'en sortir ! Je l'ai toujours dit ! On s'est parlé hier soir... Il nettoyait ses armes. Elle en a profité. Elle m'a demandé si *Grey's Anatomy* continuait ? Tu sais, toi ? Clémence, elle regarde ? On en est à quel épisode ? Je ne savais pas lui répondre. Enfin ce n'est pas du tout cuit...

Faut que personne ne lui tire dessus... Arrivée à la frontière, elle va être bloquée sans fric. Donc Bernard et moi, on doit arriver en avance et trouver un passeur turc. Enfin Bernard, parce que moi je compte pour du beurre. On débarque, on se pose à l'hôtel des passeurs. Le fameux où tout le monde s'arrête. Et on cherche un mec qui prenne notre fric, pas pour nous faire passer, mais pour récupérer Célia et la faire sortir. Paraît que c'est l'horreur. La frontière, c'est comme un immense fossé. T'as du mal à t'agripper pour en sortir. La terre glisse sous tes pieds et sous tes doigts. Et on entend les balles siffler... On passe à Leroy Merlin avant de prendre l'avion. Pour acheter une corde. Elle est enceinte tout de même. Va falloir la hisser... Oh ! j'ai si peur, en fait... On va tous crever, Sophie. Je vais voir ma fille prendre une goupille dans la tête et mon mari se faire enterrer vivant.

Sophie essaie de retrouver ses esprits :

– Vous allez communiquer comment ? Les mafieux turcs parlent anglais ?

Philippe, qui n'entend pas la conversation, la regarde avec des yeux interrogateurs.

Sophie se détourne pour rester concentrée sur le flot de paroles de Nathalie :

– Ah m..., on a oublié ça. Faut qu'on trouve un traducteur. Un autre mafieux, qui parle français. Notre anglais est mauvais. Faut qu'on parte ce soir.

– Appelle Samy, il sera de bons conseils. C'est le seul à être sorti vivant de Syrie.

Elle ne sait pas si Nathalie a entendu, car celle-ci enchaîne :

– J'ai tellement peur. Plus on s'approche de la lumière, plus je tremble, comme si je savais que ça n'arrivera pas. Plus j'y crois, moins j'y crois. Je vais devenir folle. Célia aussi. Elle va très mal. Quand elle me dit *« je vais très bien »*, c'est qu'elle va très, très mal. Je la connais trop bien. Elle n'est jamais contente. Même petite, quand je lui faisais son repas préféré, elle disait *« c'est trop bon »* et deux minutes après, elle n'en voulait plus. Y a des traits de caractère que personne ne peut changer, pas même des terroristes. Elle est morte de trouille. Elle a tellement peur qu'elle ne va pas bouger... Je lui ai demandé par SMS : *« Comment tu vas marcher dans ton état »* ? Elle m'a répondu : *« Ne t'inquiète pas, j'ai ma poupée. »* Je t'avais dit qu'elle avait pris sa poupée en partant ? C'est son cadeau de naissance, son doudou quoi. Plus de poupée, plus de Célia...

Nathalie va raccrocher. Une seule phrase vient à l'esprit de Sophie :

– Prends un niqab, qu'au moins on ne voie pas qui tu es.

Mais Philippe lui arrache le téléphone :

– Avez-vous prévenu le Quai d'Orsay ? Il faut pouvoir vous réfugier à l'ambassade de France.

Nathalie se met à hurler :

– Oui, je les ai appelés ! Ils m'ont dit que c'était à nos risques et périls ! Et que si on revenait vivants, Célia irait direct en garde à vue ! Ça a été leur première phrase ! Bande de salauds ! C'est à cause d'eux qu'elle est là-bas. On avait repéré le rabatteur, il était recherché pour terrorisme, on a porté plainte pour enlèvement de mineur, et lui, il a réussi à quitter la France tranquillement avec ma fille. Bande de salauds... Tous les renseignements qu'ils ont au Quai d'Orsay, c'est grâce à nous. Les numéros de téléphone, les adresses, les Facebook... Saloperie de Quai d'Orsay ! Ils voulaient nous faire signer une attestation : comme quoi si l'on meurt, ils n'y sont pour rien ! Et ils vont mettre Célia en garde à vue ? Eh bien qu'ils essaient !

Sophie fait signe à Philippe de ne pas répondre. C'est peine perdue que d'expliquer que la garde à vue sert à récupérer des renseignements. Ceux qui ne combattent pas ne sont pas embêtés au-delà. Nathalie n'est pas dans son état normal. Il faut la booster. Sophie lui crie de toutes ses forces :

– Tous des salauds ! On va gagner ma belle ! On les aura ! À la vie, à la mort !

– À la vie, à la mort ! Une pour toutes, toutes pour une ! répond-elle.

Quand Sophie raccroche, c'est la colère qui monte :

– On est au XXIe siècle et on n'est pas foutu d'aller chercher une gamine enceinte séquestrée par des terroristes ? On va laisser ses parents crever avec elle ?

Clémence a les larmes aux yeux :

– Personne n'a bougé pour Assia. Et elle a 23 mois. C'est encore pire !

Philippe prend sa fille et sa femme dans ses bras. Il est redevenu gris :

– C'est un autre monde... Un père vend sa voiture pour payer un passeur qui connaît les codes des jihadistes et l'aide à sortir sa fille d'un terrain de guerre. La petite compte s'échapper pendant que son mari partira au combat. Si Célia arrive vivante à bon port, restera à l'encorder pour traverser le fossé de la frontière avec son ventre de femme enceinte. Tout ça au milieu des tirs de je ne sais qui. C'est surréaliste. On ne se rend plus compte... Les autorités sont encore loin de tout ça, vous savez...

Un message s'affiche sur le répondeur de Sophie. Philippe appuie machinalement sur la touche et on entend la voix « véridiquissime » d'Adèle :

– *Saleymaleycom*, papa, maman et Clémence. Je voulais juste vous donner des nouvelles. Je vais bien, je mange bien, je suis toujours dans ma grande villa avec mes sœurs. J'ai trouvé un tuteur pour me marier, car vous n'êtes pas musulmans, je dois remplacer papa. Dieu m'a trouvé mon prince. Comme ça, j'aurais ma propre villa, rien que pour moi. J'ai envie de me reconstruire, envie aussi de Le servir. J'ai pris conscience qu'il faut agir, car un jour je devrai partir.

15

Les cauchemars réveillent Sophie toute la nuit. Les siens et ceux de Philippe. Il n'arrête pas de faire des bonds et de grands gestes. Apparemment, il se bat dans son sommeil... Quand elle arrive à se rendormir, elle a le sentiment de tomber dans un trou et se réveille. *À nous deux, on fait la paire,* pense-t-elle.

Le *«je dois remplacer papa»* a fait son effet. Sophie et Philippe savaient qu'Adèle avait coupé tout lien de filiation. Philippe l'a dit dès le premier jour :

– Ils placent leur proie dans une filiation sacrée. Dieu m'a piqué ma place. Mais entendre *«je dois remplacer papa»*... Comme ça... En français, de sa bouche, prononcé distincte-ment, sur le même ton que *«je suis dans une grande villa»*... C'est vraiment violent.

Clémence s'est précipitée sur Internet. Ce *« tuteur »* dont a parlé Adèle, ça s'appelle un *mahram*. C'est lui qui doit vérifier le choix de la mariée.

L'après-midi, au café des orphelines, Sophie interroge Dorthea, qui confirme : il s'agit d'une interprétation tradition-nelle, du temps où les femmes n'étaient pas indépendantes, notamment au niveau financier. Dorthea rappelle aussi qu'en islam l'autorité des parents est sacrée. *Ah bon ? Ça n'aide pas beaucoup.*

Doha, la mère de Sirine, la jeune handicapée au prince barbu, les rejoint justement. Elle est au plus bas. Son mari a parlé aux ravisseurs. Elle les appelle *les prédateurs.* Sirine a présenté ses parents comme des musulmans pratiquants, ce qu'ils sont d'ailleurs, alors les Véridiques font mine de respecter l'islam.

– Ils nous appellent tous les jours, pour qu'on accepte le mariage. On a bien réfléchi, on a décidé de gagner du temps. Mon mari ne dit ni oui ni non : *« C'est pas qu'on est contre le mariage mais... on veut voir le mari. »* Alors ils nous invitent, on dit qu'on est malade. On demande la photo, on veut connaître la famille...

Sophie s'étonne, un peu fière de s'y connaître :

– Ah bon ? Sirine n'a pas besoin d'un *mahram ?*

Doha rectifie :

– Ils sont embêtés, le *mahram,* c'est mon mari officiellement...

Effectivement. Sophie se souvient que Philippe doit être remplacé parce que non-musulman.

– Les Véridiques respectent un musulman même s'il n'appartient pas à leur groupe, s'étonne Sophie.

– Vous avez raison ! Ce n'est que du vernis. Mon mari s'est fait piéger. Il a pensé en musulman. Et il a parlé des handicaps de Sirine. Alors là, on a tout perdu. On est passé au stade de mécréants : *« Le handicap n'existe pas, c'est une épreuve de Dieu... »* Ils nous ont fait la morale : *« Dieu a voulu qu'elle soit ainsi, on la prend ainsi ! »* Maintenant, Sirine nous déteste.

Elle ne veut plus nous parler. On n'a qu'une peur, c'est qu'ils la fassent exploser ! En attendant, depuis que nous avons fait cette remarque sur le handicap de Sirine, ils ont choisi un *mahram* parmi les Véridiques. Elle se marie demain. Elle est si fragile, si délicate, ma pauvre enfant, s'effondre Doha.

Sophie regrette de l'avoir fait parler. Elle la console comme elle peut. D'habitude, dans ce cas, elle appelle Nathalie. Mais plus de Nathalie pour le moment. Elle refoule ses larmes. Comment a-t-on pu en arriver là ?

La réunion se termine plus tôt que d'habitude. Sophie rentre chez elle pour se détendre un peu et allume la télé pour ne pas s'entendre penser. Pas de chance... Le ministre de l'Intérieur parle de son plan. Il annonce la mise en place d'un numéro vert, pour les parents des enfants encore là. Elle tend l'oreille. Les nouveaux parents concernés auront des interlocuteurs. Quelle bonne nouvelle ! C'est ce que demandaient les mères orphelines. Pouvoir parler à quelqu'un pour comprendre. Pouvoir demander de l'aide. Pouvoir bloquer les gosses à la frontière aussi. Ont-ils instauré à nouveau l'autorisation parentale pour partir à l'étranger ? Ce n'est pas clair. Le ministre répond simplement que *« la sécurité est renforcée »*. La retransmission s'arrête et un débat s'engage sur le plateau, entre un journaliste « spécialiste du jihad » et deux sociologues. Le premier dit que ce plan ne sert à rien, le deuxième parle de délation, le troisième prédit que les parents n'appelleront pas. Sophie n'en revient pas et monte le son. Le journaliste poursuit : *« Les jihadistes sont déterminés ! Ils ont organisé leur départ ! Ils ont choisi de se battre ! Je leur parle tous les jours et je vous le dis, ce n'est pas un numéro vert qui va les arrêter ! »* Lui qui « chatte » avec eux sur Internet veut faire le portrait d'Abu Oumma. Répugnant. Il poursuit sur sa lancée : « *Ils ont promis d'exterminer Paris, dans moins d'un an, qu'est-ce qu'un numéro vert va changer ?* »

Sophie n'en peut plus d'entendre de telles balivernes :

– Quel abruti... Non seulement il fait leur pub mais, en plus, il mélange tout. Je ne vois pas le lien entre le numéro vert et ceux qui font la guerre.

Le deuxième invité n'est pas mieux : « *C'est scandaleux de pousser à la délation. Chaque musulman va être suspecté. Ses voisins vont le regarder, l'épier... C'est une islamophobie d'État. Terminé les droits de l'Homme !* »

Sophie se redresse, hors d'elle :

– Il ose parler des droits de l'Homme, mais justement tous les droits d'Adèle sont violés ! Il n'a pas compris qu'on ne doit pas faire d'amalgame avec l'islam... C'est justement le piège dans lequel on ne doit pas tomber.

Sophie se souvient des propos de Dorthea : « *Toute la force des terroristes consiste à se faire passer pour de simples musulmans orthodoxes. Qui dit emprise dit confusion. Ainsi ils peuvent réclamer la liberté de conscience et s'en servir pour aliéner celle de nos enfants !* » L'amalgame profite aux Véridiques.

L'animateur veut recentrer le débat. Il rappelle que le numéro vert n'est dédié qu'aux parents et non aux voisins... D'ailleurs, ils peuvent rester anonymes. Il explique que les questions posées par les écoutants ne concernent pas l'islam. Ils essaient d'évaluer le degré de rupture des enfants, de voir s'ils sont en danger. Sophie n'en revient pas : c'est exactement ce que Nadia a dit au ministre. Ils ont pris en compte les récits des mères orphelines !

Sophie a l'impression d'y être pour quelque chose. Cela lui fait plaisir. Le troisième invité prend la parole à son tour. Il estime que les parents sont complices et qu'ils n'appelleront pas. Ils couvriront leur progéniture. Sophie s'affaisse. Le décalage est si grand... Ce type n'a rien compris. Quelle peut être sa lecture ? Il ne voit donc pas les dangers que courent les enfants ? Il prend les parents pour des coupables. En fait, les trois invités s'affrontent sur un faux débat. Pour eux, les Véridiques sont des musulmans. Le premier les défend comme des rebelles qui vont au bout de leur rêve. Lequel ? Construire un État musulman, refaire le califat. Le deuxième considère ces jeunes comme des victimes de discrimination. Ils partiraient parce qu'ils sont mal traités. Et pour le troisième, ce sont leurs parents qui les auraient rendus « trop musulmans ». Le départ en Syrie est la preuve d'une mauvaise intégration. Des gosses à qui on n'a pas transmis les valeurs de la République, bla-bla-bla...

Sophie pense à son Adèle et se sent bien seule.

16

Sophie décide d'animer les réunions au café des orphelines, en l'absence de Nathalie. Elle appelle Nadia, la psychologue, et rassemble les troupes. Heureusement, parce qu'il y a des nouveaux : Marie, une maman, un couple, Aline et José, et Jean-Marc, un père veuf. Ils ont encore leur enfant chez eux. Marie a réagi très vite. Depuis la mise en place du numéro vert, le site du ministère de l'Intérieur a communiqué sur ce que Nadia appelle « les indicateurs de rupture ». Il s'est basé sur ses travaux pour construire le fil conducteur des questions à poser aux familles. Il y a quatre niveaux principaux : la rupture avec les anciens amis, avec les activités de loisirs, avec l'école ou l'apprentissage, et enfin avec la famille. Cette mère a réagi au premier signe : à la rupture amicale. Dès que sa fille n'a plus vu ses anciens amis, d'un coup d'un seul, Marie l'a questionnée. Iris lui a parlé franchement. Celle-ci lui a expliqué : *« Je suis devenue musulmane. Ça donne du sens à ma vie. »* *« Pourquoi pas ? »* a dit Marie. *« Je ne boirai pas d'alcool »*, a poursuivi sa fille. *« Tant mieux ! »* lui a répondu sa mère. Mais voilà, Iris ne s'est plus épilée, s'est enveloppée dans un drap noir, a interdit à toute la famille les déodorants, la musique, les desserts lactés, les bonbons, les gâteaux industriels... Plus de repas communs, plus de restos, plus de cinéma, car les images sont défendues, plus de concerts car la musique est prohibée, plus de sport à cause de la mixité, plus d'amis car ils sont dans le faux... Ça s'est passé très vite.

Toujours le même processus. À chaque interdit énuméré par Marie, les autres mères hochent la tête d'un même mouvement. Quelqu'un dit :

– Elle n'utilise pas du musc ?

– Si, car il y a de l'alcool dans le parfum, comme dans le vinaigre ! Alors, elle le refuse.

Tout le monde acquiesce, l'air entendu.

Une voix s'élève :

– Je ne l'ai dit à personne, mais la mienne prend un mouchoir pour utiliser les objets de la maison, même la cafetière. Elle dit qu'ils sont impurs parce qu'on les a touchés. Le chien aussi serait impur. Comme on le caresse, on devient impur. Et les objets aussi.

Nadia rappelle que l'objectif des Véridiques est la rupture :

– N'oubliez jamais que ce qu'ils veulent, c'est couper votre enfant du reste du monde. Je sais que c'est dur. Mais ne rentrez pas dans leur jeu. Au contraire, câlinez-le encore plus, dites-lui combien vous l'aimez, même s'il vous croit impure...

Meriam, la maman du bébé Assia, présente à toutes les réunions, dit doucement :

– On est tous impurs à leurs yeux. Dès qu'on n'est pas taré comme eux...

Nadia demande à la femme du couple, Aline, de prendre à son tour la parole. C'est un cas particulier : sa fille ne montre rien, elle s'est juste éloignée de ses anciens amis. Mais pas de rupture scolaire, alimentaire, sportive... Son comportement ressemble à celui d'Adèle. Sauf que là, les parents ont découvert son deuxième Facebook avant même qu'elle ne tente de partir : il est plein de femmes en niqab armées, qu'elle appelle *« mes perles douces d'amour »*. Elle prépare son départ en Syrie, a trouvé son tuteur et son *« prince barbu »*.

– Elle ne sait pas qu'on sait, dit Aline. Samedi dernier, elle nous a dit qu'elle révisait chez une copine. Elle prépare le concours de Science Po. J'ai voulu vérifier. Moi aussi, je deviens schizo. Je vois son Facebook, mais je n'y crois toujours pas. Je me suis déguisée et je l'ai suivie. C'était l'horreur... Elle s'est arrêtée dans un coin pour enfiler une jupe longue et un grand voile noir. On était déguisées toutes les deux ! Après, elle en a retrouvé d'autres et elles sont parties bras dessus bras dessous, comme une grappe de raisins noirs. Je n'ai pas pu les suivre.

José, le père, reprend :

– Le soir, je l'ai interrogée sur ses révisions. Les yeux dans les yeux, sans sourciller une fois, elle m'a débité les chapitres du programme. Elle a deux personnalités, on pense à consulter un psychiatre. Mais doit-on lui dire qu'on sait ?

– Surtout pas, intervient Jean-Marc, l'autre père. Quand il n'y a pas de porte d'entrée, on ne peut pas avancer... Ne lui dites rien et gardez l'avantage...

José fait la moue :

– L'avantage, c'est vite dit...

Jean-Marc, le père veuf, reprend :

– C'est difficile de vous expliquer, mais dès qu'elles savent qu'on sait, Abu Oumma leur dit que Dieu leur envoie des épreuves pour vérifier leurs motivations : on leur demande de ne pas céder. Ni à nos larmes, ni à nos dépressions, ni à nos gentillesses, ni à nos discussions. Si on s'énerve, c'est parce que Dieu veut les tester. Si on est compréhensif, c'est parce que Dieu nous fait entendre raison. Quoi qu'on fasse, on n'existe plus. Elles ne nous calculent plus. Leur rapport à la réalité est faussé. Elles se rigidifient et prennent encore plus leur distance. Quand on se rapproche d'elles, elles n'y voient que l'épreuve divine ou la stratégie du diable. Plus tu te rapproches, plus elles s'éloignent. C'est un cercle vicieux. Le jour où j'ai dit que je savais à ma fille, je l'ai perdue.

José rétorque qu'il ne pourra pas faire semblant très longtemps.

Un débat s'engage. Certaines mères estiment qu'il faut échanger, d'autres qu'il faut entourer son enfant d'amour sans chercher à lui parler. Histoire de faire contrepoids au groupe radical par l'affectif. Sophie repense au numéro vert. L'ont-ils utilisé ? Non, ils attendaient de les voir. Nadia leur conseille d'appeler. La première étape, c'est de bloquer leur fille si elle veut partir en Syrie. Tout le monde approuve.

– Oui, confirme Dorthea, profitez du fait qu'elle est mineure. Les majeurs ont le droit d'aller et venir. Mais les mineurs déclarés par les parents sont bloqués.

– Sauf s'ils passent par la route, rappelle la mère de Sirine.

Sophie pense à Nathalie, dont la fille est partie avec un homme fiché et recherché pour terrorisme. Comment a-t-il pu filer malgré la plainte de Nathalie pour enlèvement de mineure ? Il est resté planqué en France plusieurs semaines, et il a pris la route, tranquillement. Sophie décide d'être positive :

– Les choses évoluent, le gouvernement prend les choses en main, le préfet va vous appeler, les services de police seront en lien.

Jean-Marc ne lâche pas, on sent qu'il est inquiet pour Aline et José :

– Le jour où vous le lui direz, soyez vigilant. Parlez-lui dans un endroit clos. Vous ne connaissez pas sa réaction. Et si elle s'enfuit ?

Aline y a déjà pensé :

– On a tout caché : papiers d'identité, factures, clés de voiture, de maison. On va dormir devant sa chambre. J'ai mis des grelots à toutes les portes, même à la salle de bains. Mon mari a installé une alarme qui sonne si quelqu'un traverse le jardin.

Le groupe hoche la tête.

Quelqu'un dit :

– Vous avez pensé au suicide ? Il faut ôter médicaments, couteaux, ciseaux, rasoirs, cutters, etc.

Aline regarde son mari les larmes aux yeux :

– Non, ça, on n'y avait pas pensé !

Quand on lui propose de prendre la parole à son tour, Jean-Marc, un nouveau, leur raconte l'histoire de sa fille, Charlotte, comme une succession de ratés judiciaires. Dès qu'elle s'est mise en rupture, il a demandé de l'aide au juge des enfants pour la signaler en danger. Il y a eu une enquête. L'assistante sociale est venue. Mais Charlotte inverse tout : son père est trop autoritaire. Il n'accepte pas qu'elle devienne musulmane. Jean-Marc s'est défendu.

– Ce n'est pas une conversion, c'est un endoctrinement. Ce n'est pas une relation à Dieu, c'est un gourou qui l'attrape. Elle se coupe du reste du monde. Bien sûr que je suis contre !

L'assistante sociale lui parle de tolérance, de liberté, de crise d'adolescence... Selon elle, Charlotte a besoin de s'affirmer. Elle doit faire ses propres choix. La juge rend un non-lieu. L'enquête sociale est à charge : *« Une insatisfaction vis-à-vis des parents peut être retenue... Une difficulté de communication au sein de la famille... Pas assez d'autonomie laissée à l'adolescent... »*

Tous les parents réagissent :

– C'est la meilleure ! C'est bien ça, notre problème ! Nos gosses se coupent de nous parce qu'on n'est pas élus par Dieu pour posséder la vérité ! Ils veulent qu'on devienne tous musulmans !

Doha, Meriam et Samy s'énervent d'un seul coup :

– Mais pourquoi vous faites encore ce type de raccourci ? On n'est pas musulmans, nous ? Et pourtant, Abu Oumma nous considère aussi comme des mécréants. Nous non plus on n'a plus d'autorité sur nos mômes. Vous n'avez toujours pas compris que c'est une secte ? Ils ne veulent pas qu'on devienne musulmans, ils veulent qu'on devienne Véridiques !

Dorthea se prend la tête entre les mains, apparemment aussi désespérée que le groupe des musulmans :

– Si vous, les parents qui avez vécu l'endoctrinement de l'intérieur, vous ne comprenez toujours pas, on n'y arrivera jamais. Comment voulez-vous que le gouvernement s'y retrouve ? C'est toute la force des Véridiques de se faire passer pour des musulmans...

Nadia intervient pour redonner la parole à Jean-Marc :

– Où en est Charlotte maintenant ?

Jean-Marc a le même visage gris que Philippe :

– Elle a fait un mariage religieux avec un inconnu quelques jours après cette fameuse enquête sociale. Quatre mois plus tard, à ses 18 ans, elle s'est mariée civilement. Elle est tombée enceinte. C'est le mot. Elle attend l'accouchement pour partir en Syrie. C'est sa seule raison de rester. Mais c'est un zombie. Elle répète sans cesse : « *Mon mari ne pointe pas mes défauts, il les corrige.* » Là, elle est hospitalisée. Elle s'enferme dans le noir pour ne pas voir le diable. Elle a perdu sept kilos depuis le début de sa grossesse. J'ai l'impression qu'elle devient folle. Je ne sais pas comment l'aider.

Nadia le rassure :

– C'est presque bon signe : peut-être a-t-elle des doutes sur sa vision du monde... Il est fréquent qu'une personne qui sort d'une secte tombe dans le néant un petit moment. Elle passe de la fusion avec les membres du groupe à la grande solitude, et doit affronter seule la réalité. Charlotte doit avoir le sentiment de tomber dans le vide... Cela peut durer plusieurs mois. C'est dur, mais cela signifie peut-être qu'un début de désendoctrinement est bel et bien entamé...

Elle rappelle ensuite l'heure du rendez-vous du lendemain.

Sophie se sent bien triste, surtout à l'idée qu'il faudra soigner Adèle le jour où elle en sortira. Car elle s'en sortira, c'est sûr. Elle n'a qu'un type de conseils à donner à ces parents dont les enfants sont encore là : vendez tout, partez au bout du monde, là où il n'y a pas d'Internet, pas de nouveaux amis, pas de théorie du complot... Partez, là, tout de suite, maintenant. Chaque jour compte, c'est tic-tac. Enfermez-vous avec votre enfant, il faut le désintoxiquer. Nos gosses sont drogués à jeun. Trouvez deux bons psys : un pour vous et un pour l'enfant.

Qu'en pense Nathalie ? Sophie l'appelle machinalement. Si elle est en Turquie, elle répondra. Elle tombe sur sa boîte vocale. Sophie se sent très lasse.

17

Le lendemain, Philippe reçoit un coup de fil. C'est un commissaire, Libéro, qui téléphone de la part du juge Talérand. Il a besoin d'échanger sur un cas. Sophie se rapproche et Philippe met le haut-parleur. Libéro parle de la fille d'Aline et de José. Il demande à Philippe s'il estime que l'enfant peut être hospitalisé d'office en pédopsychiatrie.

– Quelle est la problématique ? demande bêtement Philippe.

– Endoctrinement sectaire, lui souffle Sophie un peu excédée.

Philippe lève les yeux au ciel. Il est branché Syrie en tant que père, pas en tant que psychanalyste. Il demande quelques informations complémentaires.

– Elle s'apprête à partir, on la surveille sur Internet. Elle ignore que ses parents sont au courant. On doit arrêter sa schizophrénie, elle est en total double jeu. On n'a jamais vu ça.

Philippe s'interroge :

– Et un bon rappel à la loi, une vraie garde à vue, pour la ramener sur terre, pour faire éclater sa bulle ?

– Pas possible de garder un mineur à cause d'un Facebook, ce serait illégal. Et puis, ajoute Libéro, en admettant que le procureur me donne la permission, vous imaginez si elle s'enfuit après ? Échec complet, la bulle se referme et la gosse nous échappe. En prime, les parents se retournent contre nous !

Sophie sursaute. Elle croyait qu'on avait refermé les frontières...

Philippe reste pensif :

– Oui, tout compte fait, on peut essayer l'hôpital. Les collègues travailleront le dédoublement de personnalité et la désaffiliation. Ça ne peut pas lui faire du mal.

Libéro complète :

– Et on la garde au chaud.

Philippe raccroche en rassurant Sophie :

– Libéro demande une prise en charge par le juge des enfants. C'est la seule façon d'imposer un suivi psy. En passant par un juge, on rappelle la loi. Impossible de travailler le retour à la réalité sans la loi.

– Que va-t-on faire d'Adèle, Philippe ?

Il regarde ailleurs. La question a échappé à Sophie. Elle enchaîne :

– On échange sur les enfants des autres, mais on se garde bien de parler de nous. J'ai tout passé dans ma tête. Pourquoi Adèle est-elle partie ? Elle ne correspond à aucun modèle décrit par Nadia, type Indiana Jones ou Terminator. Un mélange de Mère Teresa et de Lancelot ? Cela me paraît bizarre. Elle pouvait attendre pour sauver le monde. Et pourquoi s'éloigne-t-elle de semaine en semaine ? Déjà deux mois d'absence. Je ne passerai pas l'été sans elle.

Philippe se redresse et répond en articulant péniblement :

– Moi non plus. Attendons le retour de Nathalie pour nous organiser.

Justement, aucune nouvelle de Nathalie. Cela fait trois jours maintenant. Sophie appelle Samy, toujours au courant de tout. C'est encore le cas :

– Ils sont vivants. Ils cherchent un autre passeur qui aille jusqu'à Célia, car le mercenaire leur a fait faux bond. Impossible qu'elle avance seule à pied jusqu'à la frontière. Son groupe a changé de quartier général. Il faut un homme. Ça ne la protège pas mais, au moins, ça n'attire pas les regards non plus.

Sophie ne comprend pas le problème : des passeurs, il n'y a que ça le long de la frontière turque.

– Non, dit Samy, un passeur, ça fait passer. Là, elle cherche un passeur qui aille la chercher. Il y a vingt kilomètres à parcourir pour trouver Célia. Puis vingt kilomètres pour la ramener. Et là, ils doivent encore franchir la frontière.

Sophie rectifie :

– Donc il leur faut plutôt un mercenaire ?

Samy confirme :

– Un mercenaire barbu, qui connaisse les codes des jihadistes pour se faire passer pour l'un d'entre eux, qui sache se battre s'il se retrouve face à des gens de Bachar el-Assad, qui puisse communiquer s'il rencontre l'Armée libre syrienne. Faudrait pas qu'ils soient pris pour des jihadistes par des laïcs ! Il doit aussi connaître un passeur mafieux pour franchir la frontière dans les deux sens.

Et là, Sophie pose la question bête :

– Crois-tu qu'ils vont trouver ?

– Seul Dieu le sait, Sophie, répond très sérieusement Samy.

Le café des orphelines vient d'appeler. Le barman est dans le coup maintenant... Il est devenu le coordinateur des mères orphelines. Une jeune femme, Zahra, s'est présentée, elle cherche le groupe. Sophie appelle Nadia pour ne pas y aller seule. Elle enfile son blouson, tente d'éviter la pluie, et s'engouffre dans le métro. Quand Sophie arrive, elle devine que c'est Zahra devant le café. En effet, les parents concernés se reconnaissent entre eux, en un échange de regards. Sophie lui serre la main comme on serre quelqu'un dans ses bras.

– Merci d'être venue.

Nadia et Meriam arrivent à leur tour, trempées. La jeune femme écarquille les yeux :

– Vous êtes Meriam, la Meriam d'Assia ?

– Oui, répond doucement Meriam.

La jeune femme s'écroule en larmes :

– Oh, Meriam, comme je vous admire... Quelle dignité... Je n'y arriverai pas, moi...

Nadia la calme, Meriam et Sophie l'entourent et elles s'assoient à une table. Elles lui demandent de raconter. Elle ouvre son sac et en sort un épais dossier.

– J'ai connu mon mari quand il était normal. Il s'est radicalisé pendant ma grossesse. Il refusait que je travaille. Je changeais la couleur de mon foulard tous les jours, pour l'assortir à mes chemises. Il me traitait de sale pute : *« Tu vas aguicher les hommes avec ton foulard orange ! »* Ce qu'il voulait, c'était m'imposer le niqab. J'ai porté plainte. En fait, je voulais divorcer. On était en 2010, la loi d'interdiction du port du niqab était votée. J'étais sûre qu'il allait être interrogé, puis condamné. Tu parles ! Je n'ai plus entendu parler de cette loi. Personne ne me reconnaissait. Forcément, j'étais méconnaissable... Une vraie Belphégor... Dans la rue, les voisins ne me voyaient plus. Plus un bonjour, plus un *« Comment ça va ? »*, plus un *« Il fait beau aujourd'hui ! »*, plus de *« Et le bébé, ça pousse ? »* Je comptais pour du beurre, à ses yeux et aux yeux du monde entier.

Zahra ouvre la chemise bleue et tend une attestation : c'est le gynécologue qui atteste que *« Monsieur a collé un sparadrap sur la photo de la carte mutuelle de Madame. »* Il rajoute que *« Monsieur lui explique que la France ne respecte pas ses valeurs religieuses puisque les visages des femmes sont visibles. »* Zahra attrape une autre attestation : c'est une voisine qui raconte que *« Monsieur dit ouvertement que sa fille portera le jilbab à 10 ans, pour s'habituer à son futur niqab, cadeau de ses 12 ans »*.

Zahra reprend son souffle :

– Ma copine Hanane a ramené un nounours à la maternité, le jour de mon accouchement. Il l'a jeté par la fenêtre. L'infirmière a témoigné. Ma meilleure amie m'a offert une chaîne avec une main de Fatma. Il l'a balancée dans le trou du lavabo. L'infirmière a témoigné. Ma mère avait une poupée souple, toute blanche, pour les nouveau-nés. Il lui a coupé la tête avant de la mettre à la poubelle. La femme de service a témoigné.

Zahra tremble de tout son corps. Meriam lui prend la main.

– J'ai vécu la même chose, murmure-t-elle.

Zahra continue son récit :

– On est rentrés à la maison. Il a vendu la télé et il a posé des rideaux opaques aux fenêtres. On n'y voyait plus rien. Chaque invité était éconduit. Il leur disait solennellement que les peluches, les poupées, les jouets représentant des êtres vivants ne rentreraient pas dans l'appartement. Toute représentation humaine ou animale, c'était le diable. Il arrachait même les photos de bébés des étiquettes des bouteilles d'Évian... *« Faut protéger ma fille »*, il disait. On aurait dit un fou.

Zahra sort six nouvelles attestations.

– Petit à petit, les gens m'ont lâchée. Plus personne ne venait chez moi. Juste un petit coup de fil, de temps en temps... Puis plus rien. Il leur faisait peur. Je leur faisais peur. J'étais coupée de tout. Je n'avais pas le droit de sortir. Si j'allais sur le balcon, je devais mettre mon niqab. Pour aller au petit parc, il exigeait d'être là. Pour faire les courses aussi. Je me débrouillais pour trouver des draps et des habits sans petits lapins, sans figurines, sans rien. Dès que je voyais une fleur brodée, je sautais dessus. Il interdisait la musique aussi. *« Ça éloigne de Dieu. »* Allez trouver des jouets sans image et sans musique !

Zahra explique que ses parents étaient très inquiets. Son père est imam et il est intervenu mille fois.

– Ils ont failli se battre. L'autre lui disait : *« Ta gueule, espère de vendu de l'Occident. Moi je sais ce que Dieu dit. »* C'était impossible de discuter. Mes parents m'ont recueillie chez eux avec mon bébé. C'est là que le monde s'est écroulé.

Meriam et Sophie prennent connaissance des attestations, ouvrent de grands yeux : les témoignages sont clairs et directs. Et pourtant, Zahra tend un jugement qui date de la semaine passée. Il dit explicitement : *« Certes Monsieur ne veut pas de peluches, certes Monsieur ne veut pas de poupées ; certes Monsieur ne veut aucune image ; certes Monsieur ne veut pas de musique ; certes Monsieur ne veut pas qu'on voie le visage de sa femme et souhaite que sa fille porte un jilbab dès la puberté ; certes Monsieur pratique très rigoureusement sa religion ; certes Monsieur explique clairement qu'il préférerait vivre dans un pays musulman, mais cela ne signifie pas pour autant que Monsieur présente un quelconque danger en visitant sa fille à tel point qu'il soit proportionné et justifié d'envisager une surveillance du droit de visite. Ainsi, Monsieur pourra prendre sa fille un mercredi sur deux, un week-end sur deux et la moitié des vacances... »*

Meriam réagit vivement :

– Ah non, tu vas contacter mon avocat ! Hors de question de lui donner ta fille sans surveillance...

Zahra se remet à pleurer.

– Lorsque j'ai dit au juge qu'il voulait partir en Syrie, mon mari n'a même pas nié ! Et le juge la lui donne quand même ? En fait, il voit les musulmans comme ça, n'est-ce pas ?

Nadia est fatiguée. Cela fait quinze ans qu'elle planche sur le sujet. L'envergure du travail de formation à mettre en place auprès des professionnels lui donne le vertige.

Sophie promet d'en parler à Philippe, pour qu'il en parle à Talérand. On ne sait jamais, entre juges... Et Meriam raccompagne Zahra chez elle en lui promettant d'appeler son avocat.

18

Sophie est seule dans le noir. Soudain, une lumière sur sa gauche... Un homme avec un large sourire tient une tête par les cheveux. La flamme s'éteint. Sophie tremble de tout son corps. Où est-elle ? Que se passe-t-il ? Une lumière sur sa droite... Une femme la regarde, vêtue de noir. Elle distingue seulement ses yeux bleus qui la fixent. Adèle ? Oui, c'est bien elle. Elle se précipite vers sa fille. La lumière s'éteint. Sophie se retrouve seule. Et là, devant elle, apparaît le corps de Nathalie. Il y a du sang partout. Nathalie s'écroule. Sophie l'attrape, mais Nathalie ne bouge pas. Sa gorge est tranchée. Ses mains sont pleines de sang.

– Sophie ? Sophie, tout va bien. Ce n'est qu'un cauchemar. Réveille-toi.

Philippe ? Sophie revient à la réalité. Il la prend dans ses bras tout doucement. La berce. Elle se rendort.

Le lendemain matin, Sophie n'arrive pas à effacer l'image de Nathalie. Déjà deux semaines qu'elle et Bernard, son mari, sont partis. Aucune nouvelle, excepté celles transmises par Samy. *Que se passe-t-il ? Sont-ils en danger ?* Assise à son bureau, elle saisit son téléphone. Elle a passé de longues nuits dans cette pièce à écrire ses livres. Elle aime s'y réfugier. Une sonnerie, deux sonneries, trois sonneries... Mais personne ne décroche. *Si elle est en Turquie, son téléphone fonctionne.* Sophie se décide à appeler Samy, qui finit par répondre :

– Allô ? Sophie, tu m'entends ?... Pas parler... DGSI... bloqué... frontière... Nathalie... danger...

Quoi ? Sophie n'y comprend rien, la ligne est très mauvaise. Où est-il ? Elle n'a pas le temps de réagir, la communication se coupe. Elle tente de rappeler : messagerie, encore et encore. Elle ne sait pas quoi faire, ni que penser. *Nathalie est-elle en danger ? A-t-elle besoin d'aide ? Qui est bloqué à la frontière ? Nathalie ou Samy ? Par qui ? La DGSI ? Les Véridiques ?* Elle se prend la tête dans les mains, et s'affale sur son bureau. Son beau bureau acajou...

Elle sent des mains qui lui massent les épaules. Elle se redresse. Un faible sourire apparaît sur ses lèvres quand elle se tourne vers Philippe. Il embrasse tout doucement le haut de sa tête. Elle se met à pleurer. Il continue de lui masser les épaules. Il la laisse se défouler, se vider. Progressivement, ses sanglots s'espacent. Elle n'a plus de force. Il s'assied à côté d'elle et lui prend les mains. Il a son air attentionné. Regarde-t-il ainsi ses patients ? Non, à cet instant, dans son regard, elle saisit de l'amour et de l'inquiétude.

– Philippe, je m'inquiète pour Nathalie. Ça fait deux semaines qu'elle est partie. Je n'ai aucune nouvelle. J'ai eu Samy au téléphone. Je pense qu'il est là-bas, il a dû décider de les accompagner... Je n'ai compris que quelques mots. La communication était mauvaise et il ne pouvait pas parler. Mais il panique. Je sens que Nathalie est en danger. J'ai un mauvais pressentiment. Et si mon cauchemar était prémonitoire ?

Sophie imagine déjà la réponse de Philippe. En bon psychiatre, il va lui dire que c'est normal : son angoisse remonte. Sa culpabilité de vivante la travaille. Un rêve prémonitoire... Sophie se trouve pathétique. Pourtant, à sa grande surprise, il plante ses yeux dans les siens :

– Écoute-toi, que penses-tu qu'on doit faire ?

Elle lui prend la main. *« On » ? Tous les deux ? Ensemble ? Comme au bon vieux temps...*

– Je ne sais pas, Philippe. J'ai la tête en bouillie. Mais je veux réagir. Je ne peux plus rester assise dans notre grand salon pendant que le monde s'écroule autour de moi. Je me suis attachée à Nathalie. Elle m'a tant aidée. Si elle est en danger, je dois y aller ! Je veux combattre, moi aussi ! Je veux partir à la frontière turque et retrouver Nathalie !

Sophie est sûre d'elle. Exprimer ce projet à haute voix lui fait prendre conscience de sa détermination. Oui, elle va partir en Turquie ! Avec ou sans lui ! Elle a pris sa décision. Personne ne la fera changer d'avis.

Philippe lui répond :

– D'accord. Préparons le voyage. Sais-tu dans quelle ville Nathalie s'est rendue ? Dans quel hôtel ? Dois-je laisser pousser ma barbe ? Acheter des vêtements spéciaux ? Je vais me renseigner. On ne doit pas faire n'importe quoi. Mais nous devons agir, je suis d'accord avec toi : nous ne pouvons compter sur les autres. J'ai entendu une déclaration du Premier ministre ce matin : il a parlé de *« candidats au jihad »*, en mettant dans le même sac nos enfants endoctrinés et kidnappés et les vrais terroristes... Si le gouvernement n'est pas capable de faire le bon diagnostic, comment peut-il apporter le bon remède ? Laissons-les s'occuper des terroristes, concentrons-nous sur notre fille. Je n'attends plus rien d'eux.

Philippe est là. Un instant, Sophie l'imagine avec une longue barbe. Lui qui est toujours rasé de près avec ses costumes stricts... Sophie sourit à l'évocation de cette image. Elle a l'impression de revivre un peu. Philippe sourit aussi. Il a compris. Il prend son ordinateur et tape *niqab*. Il se tourne vers sa femme, avec dans les yeux un petit air de défi et une grande malice :

– Toi aussi, ma chérie...

Il prend une voix de présentateur :

– Vous trouverez à votre goût ce tissu 100 % coton, confortable, qui vous permet de vous déplacer en tout anonymat...

Soudain l'angoisse prend la place de leurs sourires.

19

– Arrête de te triturer les mains comme ça ! Si tu fais ça à l'arrivée, rien de tel pour se faire remarquer... Nous partons en vacances en Turquie, n'oublie pas. Ne regarde pas autour de toi. Fixe un point. Ne t'inquiète pas. Tout se passera bien. Je suis là avec toi. On ne se lâche pas.

Sophie a du mal à se détendre, à se comporter normalement. Ce n'est pas son style de paniquer, mais là, tout est brouillé. Elle craint d'être stoppée à Istanbul. Elle se tourne vers Philippe :

– Et Clémence ? Tu crois qu'on a bien fait de la laisser chez tes parents ? Elle n'a pas cru à notre histoire de voyage !

– Non, je ne pense pas non plus, répond Philippe. Mais elle joue le jeu pour nous apaiser. Si nous sommes retardés, elle est mieux là-bas que toute seule. Allez redresse-toi. Souris, c'est notre tour.

Sourire... Sophie grimace. Il vient de formuler à haute voix son inquiétude : *Et s'il nous arrive quelque chose ? Ma petite Clémence, mon Adèle... Que deviendraient-elles ?*

Maintenant, c'est trop tard.

Ils s'assoient dans la salle d'attente de l'aéroport Charles-de-Gaulle. Des familles heureuses profitent du *duty free*. Un bébé se met à pleurer. Une maman le console. Sophie pense à la petite Assia. À Meriam. La main de Philippe ne lâche pas la sienne. Elle pose sa tête sur son épaule. Il lui donne un baiser sur le front. Le haut-parleur grésille. « *Monsieur, Madame, votre attention s'il vous plaît, pour le vol numéro 5432 à destination d'Istanbul, veuillez vous présenter aux comptoirs 2 et 3 pour l'embarquement.* » La queue, le long couloir, et les voilà assis dans l'avion. Il est trop tard pour faire demi-tour. Cela donne de la force à Sophie. L'avion décolle. C'est parti pour 3 h 30 de vol. Elle s'endort contre Philippe, épuisée. Atterrissage, récupération des bagages, et c'est le passage de la douane turque...

Elle entend Philippe parler avec l'agent.

– Bonjour, nous sommes là pour des vacances, nous allons loger à l'hôtel.

Il prend la main de Sophie, la porte à sa bouche et lui donne un léger baiser.

– Anniversaire de mariage. Quinze ans déjà !

Sophie n'ose pas regarder le douanier dans les yeux. *J'ai l'air d'une proie au milieu de la savane qui va se faire avaler par un lion*, pense-t-elle.

Est-ce qu'elle sourit ? Elle essaie d'étirer les lèvres. Il tamponne les passeports. Philippe attrape le bras de Sophie pour la faire avancer. Il lui chuchote :

– Arrête de trembler. Un pied devant l'autre. Oui voilà, comme ça. Je te rappelle qu'aller et venir librement fait partie des droits fondamentaux. Je te rappelle ensuite que le numéro vert n'existait pas quand Adèle est partie et que notre nom de famille n'est même pas répertorié par les autorités des frontières. Je te rappelle enfin qu'ils n'arrêtent jamais personne dans ce sens, pas même les intégristes... On pourra s'inquiéter au retour si tu veux...

Si on en revient, pense Sophie.

Et ça passe comme une lettre à la poste. À la sortie, ils montent dans un taxi, direction l'hôtel où ils ont réservé pour une seule nuit. Istanbul n'est qu'une étape. La prochaine destination du couple est Hatay. Par la vitre du taxi, Sophie découvre la ville. Magnifique. Elle aperçoit au loin un monument illuminé dans la nuit. Ça doit être la Mosquée bleue... Elle fait signe à Philippe. Ils restent collés à la vitre. Un autre monument illuminé domine, l'église Sainte-Sophie. *Pourquoi ne sommes-nous jamais venus?* se demande Sophie. *C'est splendide! Il faut revenir avec les filles.* Le chauffeur sort des embouteillages et accélère. Il roule vite. Les rues sont très étroites. Sophie s'accroche et les sacs s'entrechoquent. Elle prend peur : elle n'a aucune envie de mourir dans un taxi ! Philippe est perplexe, il vérifie sa ceinture, tire sur celle de Sophie et lui attrape la main. Elle retient un cri. Le taxi prend un virage serré. Elle n'ose pas regarder le compteur ! Une personne traverse à ce moment-là. Il va la percuter. Elle ferme les yeux, mais le taxi continue sa course folle sans choc. Quand il s'arrête devant l'hôtel, le chauffeur regarde Sophie dans le rétroviseur avec un petit sourire. Du haut d'une colline, on devine dans la nuit la ville en contrebas et le Bosphore qui l'irrigue.

À 5 h 30, le lendemain, une mélodie réveille Sophie. Le soleil se lève à peine. Un frisson la parcourt. Elle comprend, c'est l'appel à la prière. Un dégoût traverse son corps. Le son de la langue arabe l'agresse. C'est ridicule, parce que les Véridiques ont parlé en français à Adèle.

Sophie s'assied sur son lit et chuchote tel un mantra : « *Les musulmans ne sont pas des Véridiques, les Véridiques ne sont pas des musulmans.* » Philippe est sur le balcon. Il a l'air crispé, concentré... haineux ? Il ne remarque pas la présence de Sophie à ses côtés. Il fixe la mosquée. Sophie lui prend tout doucement la main. Elle chuchote à nouveau son mantra. Il la regarde, surpris au début. Et tout doucement répète avec elle : « *Les musulmans ne sont pas des Véridiques, les Véridiques ne sont pas des musulmans.* » Ça lui fait du bien. Il se détend. Ils vont se recoucher. Le chant s'arrête.

Un peu plus tard, ils avalent un petit déjeuner et remontent dans un taxi. Arrivés à l'aéroport d'Istanbul, ils cherchent le vol interne pour Hatay. Philippe est plus tendu. Que dire si un agent l'interpelle ? Ils conviennent de laisser tomber l'anniversaire de mariage pour s'inventer des amis qu'ils visitent. Ça passe ou ça casse. C'est Sophie qui prend la parole lorsqu'un homme les interroge :

– Nous sommes arrivés hier à Istanbul et nous devons visiter des amis à Hatay. Nous ne les avons pas vus depuis longtemps.

Il les fixe. Sophie ne sait pas qui il est exactement et n'ose le lui demander. Elle a les mains moites. De toute façon, il ne peut pas les bloquer. Philippe a raison : le droit d'aller et venir, c'est la loi. Sophie a envie de lui dire que des couples comme eux, il va en voir défiler beaucoup : *Voilà Monsieur, nos enfants sont kidnappés. C'est un ancien bandit qui se présente comme le chef de votre religion. Mais comme tout le monde s'en fout, on s'organise. On va chercher nos gosses. On ne reviendra peut-être pas. Mais c'est comme ça. Vous témoi-*

gnerez. Vous direz qu'on est passé par là mais qu'on n'est pas repassé... qu'on voulait les ramener...

Après quelques secondes interminables, le monsieur non identifié marmonne : *« Allez-y. »* Sophie et Philippe s'écroulent sur les sièges inconfortables de l'aéroport. Quelques minutes plus tard, une hôtesse annonce en anglais le départ du vol pour Hatay.

À l'atterrissage, une grande question se pose : Sophie doit-elle mettre son niqab dans les toilettes de l'aéroport ? Elle observe le hall : contrairement à Istanbul, il y a moins de femmes en jeans. Celles qui passent furtivement sont en famille. Leurs vêtements sont plus traditionnels, avec un petit foulard assorti sur la tête. Philippe est en mode « vacances » et achètera des habits sur place. Arriver déguisés en talibans leur a semblé déplacé... Le couple passe devant un guichet vide. Il n'y a personne au contrôle. Logique, ils n'ont pas franchi de frontières. Sophie décide tout de même d'enfiler son niqab. Autant passer inaperçue, on ne sait jamais. Elle part le revêtir aux toilettes et a un mal fou à ajuster le haut. C'est au niveau du nez que ça gratte. Le fameux truc en plastique censé tenir le tissu devant les yeux glisse et la blesse. Ça lui rappelle les masques mal ajustés de son enfance lors des défilés du carnaval. Comment sa petite Adèle peut-elle supporter ça ? Au début, elle ne voit rien derrière le voile noir. Il est censé être transparent au niveau des yeux mais Sophie a mal calculé l'espace.

Ils prennent un taxi pour rejoindre le centre-ville où ils ont rendez-vous dans un café. Leur attente dure plusieurs heures. Quand il arrive enfin, l'homme regarde fixement Philippe, qui se lève, paie et le rejoint. Sophie reste en retrait. Elle baisse la tête et se répète qu'elle n'a pas le droit de le regarder. Elle n'a pas le droit de parler. Il faut qu'elle fasse attention. Il en va de la survie de Nathalie. Et d'Adèle pour la suite car, pour Sophie, ceci n'est qu'un premier voyage. Philippe remet à l'homme la moitié de la somme prévue. Ce dernier hoche la tête. Il est grand, brun, barbu, vêtu de noir. Il enfile des lunettes de soleil. Sans un mot, il part. Un peu perdu, Philippe fait signe à Sophie. Ils le suivent. L'homme monte dans un 4X4. Des kalaches sont entreposées. Philippe grimpe à l'avant. L'homme n'a pas regardé Sophie une seule fois. *Je fais quoi ?* se demande-t-elle. *Je monte à l'arrière ? Je ne monte pas ? Je dois attendre qu'on me donne un ordre ?*

Sophie attend debout sans rien faire. L'homme fait un léger signe de tête.

– Monte, dit Philippe.

Elle obtempère. Installée sur le siège arrière du 4x4, Sophie a le cœur qui bat à cent à l'heure. Elle est un peu rassurée que leur contact ait répondu présent. Depuis la France, ils avaient cherché un mercenaire-passeur-traducteur. Samy leur avait donné des pistes, lors de leurs premières rencontres. L'homme doit les emmener à Kilis, l'endroit de la frontière où l'on peut passer. 2 h 30 de route encore. Comment des adolescents ont pu accomplir ce périple ? Aucun doute, ils sont forcément pris en charge. Le paysage défile sous les yeux de Sophie sans qu'elle ne le regarde vraiment. D'ailleurs, dehors, il n'y a rien. De temps en temps, ils traversent des hameaux perdus. Puis le 4X4 se retrouve sur une route isolée, sinueuse. Entre champs et désert...

20

La voiture est parvenue au poste-frontière Kilis-Oncu-pinar, un passage facile entre la Syrie et la Turquie, où l'Armée libre syrienne contrôle les allers et venues.

Sophie commence à suer. Il fait plus de 35 degrés. *Quelle horreur ce niqab, et mes mains qui fondent dans ces gants noirs...* Ses habits lui collent à la peau. Philippe aussi souffre car, dans la voiture, l'homme lui a tendu une combinaison noire, qu'il a enfilée.

L'homme part à grandes enjambées. Philippe, qui a l'air de comprendre les codes, le suit. Sophie aussi. Toujours deux pas derrière son mari. L'homme s'arrête devant un immeuble miteux sur le point de s'effondrer. Sur le devant, il y a une enseigne écrite en arabe. L'homme dit quelques mots à Philippe et s'en va.

– C'est un hôtel. Il faut monter au premier étage. La deuxième chambre sur la droite. La clef nous attend à l'intérieur.

Sophie ne peut s'empêcher d'ouvrir la bouche :

– On ne passe pas par l'accueil ?

Philippe secoue la tête.

– L'homme m'a dit que non. *« Montez directement. »* C'est la seule consigne qu'il a lâchée.

Une fois dans la chambre, Sophie et Philippe n'osent pas bouger. Il ferme la porte à clef. Elle jette un œil à la petite fenêtre. Ce qui s'étend devant elle n'a aucun point commun avec Istanbul. Des bâtiments s'empilent les uns au-dessus des autres. Les couleurs sont ternes. On dirait une carte postale en noir et blanc jaunie. Il y a une odeur de mort : des soldats, des tanks et de la poussière. Plus loin, Sophie aperçoit des bungalows. C'est un camp de réfugiés qui n'en finit pas. Des enfants poussent des caddies. Les rues sont remplies de scooters. Des garçons les conduisent sans casque et sans barbe. Ça lui semble étrange. Quelques femmes portent un simple foulard sur la tête. On voit leur visage. Il y a une seule route goudronnée. Le reste est sablé. Une petite place se trouve au-dessous de la fenêtre. Elle est plutôt jolie. Sophie distingue une sorte de minaret. Un grand pilon circulaire avec un petit chapeau sur le dessus. *Ça lui donne une certaine élégance*, se dit-elle. Elle se retourne vers Philippe.

– Où est Nathalie ? S'est-elle installée dans ce même hôtel ?

– L'homme a dit que oui. Des gens ont vu une femme et un homme européens séjourner ici. Ils ont quitté l'hôtel il y a huit jours.

– Où sont-ils allés ?

– Je ne sais pas, Sophie. Je ne sais pas... répond Philippe en soupirant. L'homme revient demain. On doit rester ici. On doit l'attendre.

Est-il digne de confiance ? Va-t-il les trahir ? Peut-il leur faire du mal ? Sophie et Philippe ne connaissent rien de lui, pas même son prénom. Samy l'a recommandé, c'est tout. Mais, depuis ce coup de fil mystérieux au cours duquel Sophie a cru comprendre que Samy était bloqué quelque part... Plus rien n'est rassurant.

La chaleur est insoutenable. Sophie s'apprête à ôter son niqab et Philippe ferme le rideau opaque. Elle le regarde, surprise. *J'ai vu très peu de niqabées, donc je ne risque rien*, pense-t-elle.

– On est encore en Turquie, que je sache.

Philippe comprend, mais se ravise :

– On ne sait jamais, Sophie. Je ne veux pas qu'on voie ton visage. Pour ta sécurité. Pour la sécurité d'Adèle. Il doit y avoir des espions. Tu es passée dans les médias. Imagine qu'ils te reconnaissent ?

– Tu as raison, répond Sophie. Je n'y avais même pas pensé.

L'un et l'autre ne se parlent pas beaucoup. Éreintés, ils s'endorment, éloignés l'un de l'autre à cause de la chaleur.

Un grand éclat réveille Sophie en sursaut. Ébahie, elle voit la porte s'ouvrir. Philippe est déjà debout, près au combat. Que se passe-t-il ? Philippe lui fait signe de se taire et d'aller dans la salle de bains. Non ! Elle ne veut pas le laisser seul. Ils sont venus ensemble. Elle reste là, redressée sur les genoux, au bord du lit. Elle ne voit rien. Il fait noir. Elle distingue juste le couloir derrière la porte ouverte. Tout d'un coup, un homme rentre avec une kalachnikov à la main. Sophie retient un cri. Est-il venu les tuer ? Mais pourquoi ? Qu'ont-ils fait de mal ? Il hurle quelque chose en arabe. Il attrape le niqab de Sophie posé sur une chaise et le lui jette à la figure. Elle l'enfile le plus vite possible. Ses doigts tremblent. L'homme crie en français :

– Vite, on y va.

Philippe attrape les affaires et entraîne Sophie par le bras. Ils franchissent la porte au pas de course. Dans le couloir, deux hommes les encadrent, un sur la droite, un sur la gauche, tous les deux ont des mitraillettes. Le chef fait signe de le suivre. Il se met à courir. Sophie et Philippe courent derrière lui, les deux hommes à leur suite.

Sont-ils là pour nous protéger ou pour nous kidnapper ? se demande Sophie. *Quelle heure est-il ?*

Le groupe sort de l'hôtel. Dehors, c'est le noir complet. Un pick-up est garé devant l'immeuble. Cette fois, Sophie n'hésite pas. Elle grimpe à l'arrière du véhicule. Philippe monte à ses côtés. L'homme prend le volant. Les deux autres s'installent derrière, dans le coffre ouvrant, avec leurs armes. *Où nous emmènent-ils ?* s'interroge Sophie. Elle regarde Philippe. Il a l'air aussi effrayé et perdu qu'elle. Un silence de mort les entoure. Le véhicule roule vite, zigzague puis quitte carrément le chemin de terre. Droite, gauche, gauche, droite... Cette fois-ci, ils vont vraiment mourir dans un accident de la route. Tout ça pour ça... Mais non, l'homme freine d'un coup sec et s'arrête devant une maison qui sort d'on ne sait où. On la distingue vaguement, car le jour se lève à peine. Sophie essaie de se calmer. *S'il voulait nous tuer, pourquoi nous emmener dans une maison ? Pourquoi attendre ? Il aurait pu le faire dans la chambre d'hôtel. Il est là pour nous protéger. Oui, c'est ça, il nous protège.*

Une femme vient à la rencontre du couple. Elle ouvre les portières et leur souhaite la bienvenue. Ils la suivent à l'intérieur de la maison qui garde une certaine fraîcheur, grâce à la quasi-absence de fenêtres. Elle les invite à s'asseoir et les rassure. Une fois à l'intérieur, elle ôte son niqab.

Philippe s'adresse à Sophie et chuchote :

– Ça veut dire que tu peux enlever ton niqab si tu veux.

Sophie le retire.

– C'est mieux comme ça, dit la femme en souriant. Je m'appelle Karima.

Elle parle français couramment, sans le moindre accent.

– Moi, c'est Sophie.

Karima se lève et ramène du thé à la menthe.

L'homme entre dans la pièce et s'assied en face du couple. Il prend son verre de thé. Philippe l'imite. Les deux gardes sont toujours devant la porte avec leurs mitraillettes. Sophie essaie de ne pas les regarder. L'homme se présente :

– Mon nom est Hamid. Je suis confus de vous avoir fait peur, mais chaque seconde comptait. Et on doit incarner nos personnages de jihadistes sans quoi nous serions démasqués... Vous êtes en danger. Des rumeurs... L'EIIL sait que vous êtes là.

Mais comment est-ce possible ? Et qu'est-ce qu'ils nous veulent ? Nathalie ? Il a des nouvelles de Nathalie ? Une foule de questions traversent l'esprit de Sophie. Mais Philippe la devance.

– J'ai des informations, répond Hamid. Ils vont bien. Ils ont trouvé un homme qui accepte d'aller chercher leur fille. Ils patientent chez un ami pas loin de là. Ils ne peuvent pas rester à l'hôtel.

Hamid et Karima sont médecins et syriens. Ils ont fui Alep quand la ville a atteint son dixième jour sans eau. Ils essaient d'aider l'Armée libre syrienne, cachés ici.

– Il n'y a plus rien là-bas : ni viande, ni légumes, ni électricité, ni essence... Les gens creusent des puits, mais les sources sont polluées. Il n'y a plus d'eau potable. Une ville de trois millions d'habitants sans eau, vous savez ce que c'est ? Des gosses qui boivent dans des flaques d'eau pour survivre...

C'est la rébellion syrienne qui contrôle les points de passage avec la Turquie à Kilis, ce qui nous permet de nous approvisionner de l'autre côté. On cherche de la nourriture et des médicaments à distribuer aux civils et aux rebelles laïcs. On soigne et on opère aussi, avec les moyens du bord. Notre pays est détruit, notre économie anéantie, nos élites exilées, nos richesses pillées... On a dépassé les 150 000 morts, les 4 millions d'exilés et les 8 millions de déplacés comme nous. On préfère opérer et soigner ici, car l'armée de Bachar el-Assad a attaqué 125 fois les hôpitaux. Plus de 400 médecins ont été exécutés. Sans compter ceux torturés et enfermés. À el-Assad, tu rajoutes Al-Nosra et l'EIIL. Ils s'entretuent pour commander, mais quand ils nous croisent, ils se mettent d'accord pour nous égorger. Ce n'est ni une guerre civile, ni une révolution, on subit un double crime contre l'humanité, commis avec la complicité internationale. Pour moins que ça, vos présidents saisissent le Tribunal pénal international d'habitude !

Hamid a haussé le ton. Sophie est mal à l'aise en réalisant que, depuis le départ d'Adèle, elle n'a pensé qu'à elle. Pas une fois elle ne s'est concentrée sur la situation des Syriens massacrés et gazés. Pourtant, dans les vidéos d'endoctrinement d'Abu Oumma, il montre leurs corps déformés ou déchiquetés. Elle était tellement révoltée qu'il donne à Adèle l'illusion de partir pour de l'humanitaire et des histoires de fin du monde qu'elle a rayé la réalité de la Syrie de son esprit. Elle a tellement honte qu'un mal au cœur l'envahit.

Philippe intervient :

– Avant cette histoire d'enlèvement de notre fille, on était très mobilisés. Les Français étaient persuadés que nos troupes militaires allaient intervenir. Le ministre de la Défense était clair. J'étais sûr qu'on irait, avec ou sans les Américains. Quelle déception lorsque la France a retourné sa veste après la déclaration d'Obama... Comme par hasard, les médias n'ont plus beaucoup communiqué sur la Syrie ensuite, hormis pour parler des « jihadistes ».

Karima reprend doucement :

– Les jihadistes ne seraient pas si nombreux si la communauté internationale avait fait son travail. Maintenant, les Syriens, démunis de tout, sont effectivement la cible du dictateur au pouvoir et des terroristes qui le combattent ! Le dernier attentat a tué 50 civils, uniquement des femmes et des enfants ! Il a eu lieu au poste-frontière de Bab Al-Salame, entre Kilis en Turquie et Azaz en Syrie, à quelques kilomètres d'ici. Les voitures piégées, c'est l'EIIL. Ce sont des barbares, les plus radicaux des jihadistes. Ceux qui vous cherchent...

Sophie se rappelle des premières conversations avec le juge et Nathalie : « *Ne t'inquiète pas, elles sont avec Al-Nosra. C'est Al-Qaïda, mais ne cherche pas à comprendre, ils sont plus humains que les autres...* » Ça l'avait rendue malade qu'elle leur prête un peu d'humanité. Finalement, tout est relatif dans cet autre monde.

Karima se met à parler du camp de réfugiés aperçu par Sophie.

– Je m'y rends plusieurs fois par semaine. Il n'est pas officiel, mais abrite plus de 15 000 réfugiés syriens. Ils sont parfois plus de dix dans une tente, mais ils ne se plaignent pas. Ils sont heureux d'êtres vivants et ensemble, malgré leurs maisons détruites ou réquisitionnées.

La voix d'Adèle résonne dans la tête de Sophie : *« Je suis dans une grande villa, je n'ai besoin de rien. »* Salopards de Véridiques... Non seulement ils ne font pas d'humanitaire, mais ils ont jeté les survivants à la rue...

Karima explique qu'elle lutte contre de nombreuses maladies à cause du manque d'hygiène, de la chaleur et de la boue. Il n'y a pas un seul arbre autour du camp. Elle plante ses grands yeux dans ceux de Sophie :

– Tu sais ce qui me bouleverse le plus ? C'est la volonté de ces gens qui ont tout perdu de vivre normalement. Ils n'ont pas d'eau, pas d'électricité, pas de nourriture, pas de médicaments, pas d'espoir, pas de projet, mais quand un invité entre dans une tente, il fait comme si de rien n'était : par respect et par dignité, il enlève ses chaussures.

Instinctivement, Sophie regarde ses pieds et ceux de Philippe. Ils ont gardé leurs chaussures...

21

Soudain le téléphone sonne. Sophie l'avait complètement oublié, celui-là. Elle entend la voix d'Adèle.

– Maman ? Où es-tu ? On me dit que tu es à la frontière ! Avec papa ? Mais qu'est-ce que vous faites ? Vous êtes venus me chercher ?

Comment répondre ? Si on dit oui, elle va sans doute s'énerver... Il ne faut pas couper le dernier lien. Si on lui répond non, elle va peut-être se vexer ? Se sentir abandonnée ? Sophie décide donc de ne pas répondre directement :

– Comment vas-tu, ma chérie ? As-tu besoin qu'on vienne te chercher ?

– Je vais très bien, maman. Je n'ai pas besoin de vous. Mon destin est ici dans les bras de Dieu. Je ne retournerai pas en France. Tu ne l'as pas compris ? Même si vous venez, je ne partirai pas. Je suis capable de vous faire arrêter, partez.

La communication est coupée. Sophie se retourne vers Philippe.

– Adèle sait que nous sommes ici.

Philippe est surpris :

– Je croyais qu'elle était chez Al-Nosra, pas chez l'EIIL... Comment le sait-elle ?

Hamid répond :

– Al-Nosra est donc également au courant de votre présence. Ce n'est pas étonnant. Ils ne sont pas ensemble, mais restent liés face à l'ennemi extérieur. Vous êtes un danger pour eux. C'est rare que des parents viennent jusqu'ici. S'ils vous laissent repartir sans rien faire, ça peut donner l'idée aux autres d'arriver. Vous imaginez si tous les parents français débarquent ici ? Ça peut fragiliser l'emprise que les terroristes ont sur ces enfants. Et si le mercenaire a déjà attrapé Célia et qu'ils sont en fuite, les Véridiques doivent être à leur trousse. Ils s'imaginent que vous êtes complices. Ils doivent vous chercher.

Il s'interrompt un instant, puis ajoute :

– J'espère qu'ils n'arriveront pas à la retrouver. Pauvre gamine...

Philippe veut en savoir davantage :

– Adèle est-elle en danger ? Notre venue peut-elle avoir une conséquence sur son traitement ?

Sophie n'y avait même pas pensé. Dans son esprit, se rapprocher de sa fille revenait évidemment à la protéger...

– J'espère que non... Restez loin d'elle. Elle est sous surveillance. Ils lui ont ordonné de passer ce coup de téléphone. Ils testent son allégeance. Adèle a fait son serment.

Sophie voit Philippe ravaler sa salive. Ils savent bien qu'elle fait partie de leur monde. Mais entendre « serment d'allégeance » leur rappelle les fameux mots « remplacer mon père ». C'est toujours aussi violent, malgré tout ce qu'ils viennent d'entendre.

Ils gagnent la petite chambre que Karima leur a attribuée et essaient de faire une petite sieste. Sophie tourne et se retourne. Le soleil tape au zénith. Elle le sent au travers des murs épais, les yeux grands ouverts. Philippe, à ses côtés, est dans le même état. Il ne ferme pas l'œil.

Ils restent cachés dans cette maison plusieurs jours et tournent en rond. Ils n'aiment pas l'inactivité. Sophie n'arrête pas de se dire qu'Adèle n'est pas loin. Elle aimerait tant l'attraper, lui donner sa première raclée puis la serrer bien fort dans ses bras, et sortir enfin de ce cauchemar.

Au petit matin du troisième jour, avant le lever du soleil, des cris les réveillent. Hamid ouvre leur porte à la volée. Ça y est, ça recommence. Ils vont devenir des professionnels de l'évasion. Il n'a pas le temps de prononcer un seul mot que les voilà debout. Sophie enfile son niqab. Philippe remballe toutes leurs affaires. En trente secondes, ils sont prêts et le suivent. À la porte se tient Karima. Les deux femmes s'embrassent, se serrent fort. Elles sont au bord des larmes. L'étreinte est brève mais remplace les mots. Philippe entraîne Sophie, et ils montent dans le pick-up. Cette fois-ci, Hamid est entouré de quatre hommes. Ça n'augure rien de bon.

Après une course folle sur la route, le pick-up s'arrête enfin. Dans une petite ruelle, à l'abri des regards. Il fait encore nuit. Ils entendent un autre véhicule s'approcher, qui stoppe derrière eux. Sophie n'ose pas bouger. Des portières claquent. Des gens descendent de voiture. *Qui sont-ils ? Que leur veulent-ils ?* Une femme niqabée se tient devant sa portière et l'ouvre. L'inconnue attrape Sophie dans ses bras. La serre fort. Elle se met à pleurer. Sophie sent que son corps tremble. Nathalie ? Elle s'effondre en larmes. Elle peine à articuler :

– Ta fille ?

Entre deux sanglots, elle entend :

– Elle est vivante, dans le pick-up avec mon mari.

Hamid les sépare gentiment.

– Il faut y aller. Et faire vite. Ils sont à votre poursuite. Dépêchons-nous.

Qui ils ? L'armée de Bachar, les autres groupes ? Al-Nosra ou l'EIIL ? Nathalie repart vers son pick-up. Sophie remonte dans le sien. Le véhicule de Nathalie démarre. Hamid le suit. C'est l'ironie du sort : ils ressemblent aux jihadistes. Deux pick-up remplis d'hommes en noir armés jusqu'aux dents.

Quelques heures plus tard, ils sont à Hatay. Le voyage a paru plus court qu'à l'aller. Ils sautent hors du véhicule et se rejoignent : Philippe, Sophie, Nathalie, Célia – mère et fille en niqab – et le mari de Nathalie. Ce dernier a une barbe et des habits noirs, le même look que Philippe. Tous se jettent dans les bras les uns des autres.

La surprise passée, les images du voyage défilent dans la tête de Sophie. Une suite d'interminables attentes et d'instants où tout s'accélère : le départ précipité de l'hôtel dans la nuit, la conversation avec Hamid et Karima, leur prise de conscience du désastre d'Alep, l'appel téléphonique d'Adèle. Ses menaces. Sa résolution à ne pas quitter sa nouvelle villa. L'attente à nouveau qui mine. Cette expédition menée avec Philippe a-t-elle vraiment un sens ? Venir si près de sa fille, l'entendre au téléphone, savoir qu'elle est presque là, à quelques dizaines de kilomètres. Et ce mur invisible qui empêche de la voir, de la ramener enfin, une fois pour toutes, à la raison.

Un vide s'installe.

Première difficulté : Célia n'a plus son passeport.

– On doit rejoindre l'ambassade de France. Le Quai d'Orsay devait les mettre au courant, rappelle Nathalie.

Sophie se tourne vers Philippe :

– Appelle le juge Talérand. Comme ça, on borde de tous les côtés.

Hamid se gratte le menton :

– Votre ambassade se trouve à Ankara. C'est à dix heures de voiture. Le consulat est à Istanbul. C'est encore plus loin... Ne prenez pas de taxi, louez une voiture, je préfère.

Il leur conseille de regagner l'hôtel, de prendre une douche... Ils y verront plus clair. Les hommes doivent ôter leurs habits noirs le plus vite possible en Turquie. Sophie comprend qu'ils ne doivent pas s'éterniser. Elle embrasse Hamid. Elle ne parvient plus à articuler quoi que ce soit. Il leur a sauvé la vie, mais pas uniquement. Il a changé leur regard sur le monde. Il lui murmure quelques mots en arabe à l'oreille. Ça finit par *Aleykoum Salem*. Rien à voir avec le ton d'Adèle quand elle prononce ces mêmes mots. Là, cela sonne comme de la protection et de l'amour. Il se redresse et prononce distinctement :

– *Salem* vient de paix. Passe-le à Samy.

– Oui, je passerai ton *salem* à Samy, acquiesce Sophie.

Et elle porte sa main sur son cœur, imitant le geste qu'il vient de faire. Philippe fait promettre à Hamid de venir chez eux à Paris, à la fin du cauchemar. Hamid hoche la tête en souriant : « *Inch Allah.* » Philippe rajoute qu'il va parler du drame syrien, qu'il a du réseau. Hamid l'embrasse et le serre fort. Sophie et lui n'ont pas menti à la douane quelques jours plus tôt : en réalité, ils sont vraiment venus voir des amis.

La douche de Sophie a un goût de luxe. Elle économise l'eau en pensant au camp de réfugiés d'Alep pendant qu'elle se savonne. Ses cheveux propres sont légers. Quand ils se retrouvent tous dans la salle du restaurant du bas, ils n'en reviennent pas. Les hommes se sont rasés, les femmes se sont coiffées. Elles ont remis leur jeans et Sophie constate que Nathalie a dû perdre au moins cinq kilos en vingt jours. Son corps paraît plus jeune, mais son visage est marqué. Quant à Célia, c'est la catastrophe. Rien à voir avec les photos que sa mère avait montrées. Elle est maigre comme un clou, ses joues sont creuses, ses yeux hagards. On ne devine pas sa grossesse. Elle tourne la tête de tous les côtés, comme si elle était aux aguets. Des tics la secouent : elle arrache ses cils et ses sourcils d'un geste saccadé, puis ses cheveux. Elle bouge sans cesse la tête et son regard n'arrive à se poser nulle part. Quelques secondes plus tard, elle recommence son cycle masochiste. Nathalie a posé sa main sur sa jambe, comme pour la rassurer. Mais Célia ne semble pas la sentir. Sophie se demande même si elle les voit. Philippe lui murmure : « *syndrome post-traumatique* ». Merci, elle avait compris.

Sophie est traversée par deux sentiments : le désespoir de voir s'éloigner Adèle et la tristesse devant la situation de Nathalie. Célia, sa fille, est à ses côtés, en chair et en os, et pourtant si peu présente. Elle ne l'a pas encore vraiment retrouvée. Célia s'est désendoctrinée en sentant son bébé bouger, mais elle n'arrive pas pour autant à réintégrer le monde des vivants. Ces salopards de Véridiques lui ont volé une part d'humanité.

Talérand rappelle Philippe. Il a eu le Quai d'Orsay en ligne qui leur demande de rester la nuit à Hatay, le temps de joindre Interpol et la DGSI. Ils vont se mettre en contact avec les autorités turques pour qu'ils puissent embarquer Célia sans passeport en vol interne. Ne pas rajouter dix heures de route soulage tout le monde. Une fois à l'ambassade, ils leur délivreront un laissez-passer pour Paris. Sophie laisse faire Philippe et Bernard. Elle se concentre sur Nathalie et Célia, qui est en danger. Ses tics s'accentuent d'heure en heure, comme si le fait d'avoir échappé à ses prédateurs la plaçait en chute libre. C'est le danger de la sortie de secte dont parlait Nadia. Perdre son groupe, c'est comme sauter dans le vide. Il faut recréer un cocon autour d'elle. Elle pose sa main sur son épaule, mais Célia l'esquive d'un coup sec. Elle tient des propos incompréhensibles d'une voix saccadée. Parfois, elle arrête ses tics et place ses mains devant elle, en paravent.

– Elle se protège, dit Nathalie.

Sophie confirme :

– Elle a des hallucinations.

Sophie regarde Philippe du coin de l'œil, mais il est encore au téléphone. Ils n'ont aucun médicament. Il faut rejoindre la capitale, au plus vite.

Le vol se passe bien, on les attend à l'aéroport d'Ankara. Ils sont escortés jusqu'à l'ambassade de France. Sophie ne se demande plus qui est qui. Elle ne se pose plus ce type de questions. Ils prennent place dans la salle d'attente de l'ambassade. Nathalie et Bernard sont dans le bureau. Célia a fini par s'endormir sur le canapé. Philippe est parti à la recherche d'une pharmacie dans le centre-ville. Quelques heures plus tard, installés dans un hôtel, ils attendent le feu vert des autorités.

Le petit groupe embarque le soir même, direction Aéroport Roissy/Charles-de-Gaulle. Ça fait bizarre. Ils font la queue à la douane. Bernard passe le premier. Nathalie le suit avec Célia, que Philippe a soulagée avec ce qu'il a trouvé à la pharmacie. Elle marche en titubant, mais c'est moins impressionnant que ses tics. Ils s'endorment dans l'avion et quand ils arrivent, cinq hommes sont là, au bout de la passerelle. Un commando. Ils s'y étaient préparés. Ces messieurs, probablement de la DGSI, leur demandent de les suivre. Ils entrent dans la zone sécurisée de l'aéroport. Ils sont invités à s'asseoir. C'est tout blanc, comme dans un hôpital. Pas de miroirs sans tain, mais des caméras partout. Le juge Talérand les a prévenus. Ils récupèrent les renseignements à chaud. Pour éviter que les témoignages mélangent mémoire et histoire. Ils ont du « brut » ainsi. Ça peut prendre quelques heures ou quelques jours. Autant être patient. Un agent revient avec des boissons. Il demande à Philippe de le suivre. On les convoque séparément, y compris Célia, ce qui les fait tous un peu paniquer. Mais elle plane tant qu'elle ne réagit pas. Elle suit gentiment le monsieur sans mot dire, en arrachant ses cils au ralenti. Sophie voit au loin Nathalie rentrer dans une pièce, avant d'être elle-même convoquée. Elle répond à toutes les questions. Le plan est simple : dire la vérité, rien que la vérité. C'est le même mot d'ordre pour tous. Un seul mensonge est permis : Hamid. « *Oui, il y avait bien un homme qui nous a aidés. Oui, on pense qu'il habite en Turquie. Non, on ne connaît pas son prénom. Non, on n'est pas capables de l'identifier. Il avait sans arrêt des lunettes de soleil et une grosse barbe. Non, on ne se souvient pas de la plaque d'immatriculation. En plus,*

elle est écrite en arabe. Non, on ne connaît pas son adresse. »
L'agent finit par se lever. Il ouvre la porte, annonce à
Sophie qu'elle peut partir. Et Philippe ? Elle le retrouve
dehors, devant la porte. Pas de nouvelle des trois autres. Ils
en déduisent que pour eux, ça va être plus long. Ils finissent
par monter dans un taxi.

Sophie et Philippe rejoignent enfin Clémence. Elle leur a
tant manqué !

22

Clémence est restée en lien avec le groupe des mères orphelines et, après avoir dormi deux jours de suite, Sophie et Nathalie repartent avec elle au café des mères orphelines pendant que Philippe rejoint Talérand, à sa demande. Ce dernier doit vouloir vérifier certaines de ses hypothèses et croiser des renseignements. Et Philippe veut le remercier pour son aide.

Elles trouvent Samy déjà sur place. Il était bien à la frontière pour aider Nathalie, mais il a été reconnu. Il a dû rester caché puis rentrer. Tout le monde a compris qu'il finira par ramener son frère. Quitte à y laisser sa vie. Il doit donc rester discret. Et puis la DGSI ne voit pas d'un bon œil la multiplication des allers et retours en Syrie. Une fois, ça passe. Mais ils vont finir par se méfier. Si Samy sort encore vivant de Syrie, ils vont le soupçonner d'avoir promis quelque chose aux terroristes. Et les jihadistes vont aussi le soupçonner de les espionner.

– Je comprends la DGSI, dit Samy. Ils ont peur que les Véridiques sèment des cellules dormantes un peu partout.

– Ça te paraît possible ? demande un père.

Samy hausse les épaules :

– Officiellement, les endoctrinés partent pour réinstaller le califat et mourir en Syrie. Mais bon... Sait-on jamais.

Tout est possible, ils font dire à l'islam ce qu'ils ont envie donc...

– Le califat ?

– C'est le régime politique disparu il y a près d'un siècle, depuis le démantèlement de l'Empire ottoman... C'est pour ça que tous les terroristes s'entretuent : chacun veut devenir calife à la place du calife ! Si le chef de l'EIIL arrive à planter son drapeau comme il le promet, il va demander l'allégeance des musulmans du monde entier. De son point de vue, leur statut ne sera plus lié à leur nationalité mais à lui, grand calife de l'État islamique... C'est pour cette raison que les « jihadistes » brûlent tous leurs passeports dans leurs vidéos.

Jean-Marc insiste :

– Ça aurait quelle conséquence ? Ça n'est jamais arrivé dans l'histoire, un intégriste qui s'approprie un territoire ?

– Non, jusqu'à maintenant, c'était une simple utopie des plus radicaux, reconnaît Samy.

Nadia intervient :

– Si Abou Bakr Al-Baghdadi, le chef de l'EIIL, s'impose comme calife en prenant possession d'une partie de la terre du Levant, on va passer du virtuel au concret. C'est facile de cliquer sur *« J'aime »* sur Facebook quand on vous dit que vous êtes élu pour régénérer le monde, en restant allongé sur votre canapé en cuir avec la climatisation bien réglée... Seule une minorité fait le pas d'aller en Syrie. S'il y a vraiment un territoire concret correspondant à un « nouveau califat » établi par l'EIIL, difficile de savoir ce que ça va provoquer. Les théologiens musulmans, y compris les plus orthodoxes, devraient réagir : normalement, en islam, un calife est désigné par l'ensemble de la communauté, il ne doit rien prendre par la force... Il doit être le plus sage et le plus pieux.

Samy se tourne vers Nathalie et Sophie :

– Alors, les aventurières ?

Sophie prend une voix solennelle et porte sa main sur son cœur :

– Je dois te transmettre un grand *salem* de la part d'Hamid.

Samy sourit :

– Tu as changé, toi.

Sophie lui rend son sourire. C'est vrai qu'ils se sont rapprochés. Avant, les musulmans, c'était les autres. Maintenant, ce sont ses semblables.

– Hamid et Karima nous ont donné une grande leçon d'humilité et d'humanité. Si tu savais ce qu'ils font pour les Syriens... C'est leur maison qu'il faut rejoindre quand on veut faire de l'humanitaire. Ce qui se passe là-bas relève du crime contre l'humanité, ce n'est pas une simple guerre. C'est honteux pour nous d'être partis sans même avoir pensé à ramener médicaments et matériel pour opérer... Je propose d'organiser une collecte pour rattraper ça.

Nadia la fait parler d'Adèle. Sophie lui dit combien c'est dur, la rupture totale de communication.

– J'ai perdu ma fille sans l'avoir perdue. Elle devenait menaçante à l'idée qu'on tente de l'approcher...

Nathalie acquiesce :

– Je me demande si on les récupérera un jour pour de vrai. C'est pareil pour Célia. Elle est rentrée, physiquement mais pas mentalement. En vérité, elle n'est pas là.

Célia développe des signes de pathologie : elle entend des voix et prétend se faire attaquer par des fantômes. Au milieu d'une crise de panique, elle a fait une fausse couche. Sophie a tendance à penser que c'est mieux comme ça, mais elle n'ose pas le dire. Comment Célia aurait-elle aimé cet enfant ?

Nathalie et Bernard sont seuls, car il n'y a aucune structure médicale adaptée pour les recevoir. Les psychiatres consultés ne savent pas vraiment comment faire pour aider Célia et ne comprennent pas ses parents lorsqu'ils parlent de « sortie d'endoctrinement ». Ils pensent que Célia est profondément contrariée du fait que Nathalie et Bernard n'acceptent pas qu'elle se soit convertie à l'islam. Nadia propose de rencontrer les psychiatres, histoire de discuter entre professionnels...

Clémence intervient :

– C'est dur parce que Célia s'est désendoctrinée toute seule sur place. Elle voulait s'enfuir. Elle a compris qui ils étaient. On pensait qu'elle était sauvée.

Nadia hoche la tête :

– Sortir des Véridiques est aussi violent que d'y entrer, voilà ma conclusion. Sans l'appui du groupe, Célia n'est plus rien. Et on n'arrive toujours pas à faire contrepoids. C'est comme si on n'existait pas. Elle n'est plus avec eux, mais elle n'est pas avec nous. Célia n'est nulle part, elle est restée en suspension dans un ailleurs. Hors de la réalité.

Jean-Marc se prend la tête dans les mains. C'est le père de Charlotte, l'autre jeune fille enceinte. Elle n'est pas partie en Syrie, mais elle est dans sa bulle, bien loin quand même...

– Depuis que le bébé bouge, elle aussi a bougé. Elle est sortie de son état d'hypnose. Je m'en doutais à notre dernière rencontre, mais là j'en suis sûr.

Ils relèvent tous la tête pour l'écouter.

– Oui, elle traite son mari de gourou et veut divorcer. Sur le coup, j'étais content. J'ai cru que l'enfer se terminait. Un soir, elle m'a même demandé de lui chanter *Le moulin*. C'était notre rituel à tous les deux, quand je l'endormais petite. J'étais sûr que me demander ça, c'était une manière pour elle de me reprendre comme père.

Nathalie le coupe presque brutalement :

– Et que s'est-il passé ?

Jean-Marc reprend doucement :

– Elle est revenue à elle deux jours, trois peut-être... Puis elle a glissé à nouveau. Pas avec eux, non... Comme Célia, dans le néant. Elle a voulu se suicider. Le docteur l'a mise sous traitement. Elle se traînait comme un cadavre ambulant. On l'a hospitalisée dans une clinique privée, d'abord en chambre d'isolement, puis dans un centre de luxe, avec sauna et massages. Impossible de la faire sortir de sa chambre, elle réclamait *« du noir et la mort »*. Ma fille est en train de crever devant des psys aux bras ballants. Où sont-ils, tous ces éducateurs qui disaient qu'elle voulait juste devenir musulmane ? Où est-il, le juge qui ne voyait *« pas de danger »* ? Où sont-ils, tous ces complices des Véridiques ? On est en train de la reperdre et pourtant elle est juste là, à portée de main.

Nathalie reprend d'une voix terne :

– Célia reste des heures dans le noir à s'arracher les cils. Elle n'ouvre pas les volets, n'allume pas la lumière. Elle ne mange pas, ne parle pas. J'ai cherché des centres spécialisés, mais il n'en existe pas. *A priori*, elle a assisté à un égorgement. C'est peut-être ça, le choc émotionnel qui lui a permis de revenir à elle... Mais cette scène la hante. J'ai caché les couteaux, les rasoirs et les médicaments...

Nathalie éclate en sanglots.

D'autres parents arrivent. Ils ont appris le retour de Nathalie et de Célia. Ils commandent du champagne. Quand ils voient les larmes de Nathalie, ils les attribuent au surcroît d'émotion provoqué par les retrouvailles entre mère et fille. Ils s'approchent avec de grands sourires et la prennent dans leurs bras. Ça lui fait du bien. Elle sèche ses larmes. Il faut donner de l'espoir à ces parents qui veulent récupérer leurs gosses. C'est son rôle aujourd'hui. Il faut fêter ça, ils ont raison. Pendant plusieurs heures, ils échangent. *« Alors comment va ta fille ?... Et toi, ton fils ?... Tu as eu de ses nouvelles ?... Il tient toujours le coup ?... Ils lui ont refusé l'aller-retour à Paris ?... Oh, les salopards... Ah ben, eux qui prétendaient faire de l'humanitaire... Il a dû réaliser... C'est Al-Qaïda quand même. Ah, ta fille commence à craquer ?... Elle demande des photos ? C'est bien. Très bien. »*

Nathalie se force à sourire. *« Ah, vous aussi, elle a une double vie ? Vous vous en êtes rendu compte comment ?... Elle mange encore des petits pois aux lardons et s'est déjà mariée ? Mais comment font-elles pour être à ce point schizo ?... Et alors, vous lui avez dit que vous savez ? Toujours pas ? Vous avez peur qu'elle parte ? Ah... »*

Au bout d'un moment, Nathalie se penche vers Sophie et lui chuchote à l'oreille :

– Il faut que j'y aille. Je dois rejoindre Célia. En plus, j'ai peur de dire une bêtise, de briser tout leurs espoirs.

Sophie acquiesce. Nathalie se lève et serre dans ses bras les autres parents, un à un.

23

Quatre mois maintenant qu'Adèle est partie et trois semaines que Sophie et Philippe sont rentrés. Clémence a l'air de tenir le coup. Tous les trois sont très soudés. L'attente infernale reprend son cours habituel.

Sophie patiente pendant que la vie glisse sur elle. Elle a repris son travail comme un automate. Une certaine routine s'installe. Elle se lève. Regarde son portable. Pas d'appels manqués ? Pas de SMS ? Elle met la sonnerie au maximum, on ne sait jamais... Ensuite, elle consulte ses mails. De temps en temps, elle appelle le Quai d'Orsay. Puis elle va sur Facebook. Si Karima est connectée, elles dialoguent ensemble. Sophie lui a envoyé un gros colis de médicaments, mais elle ne l'a toujours pas reçu. Un mafieux a dû l'intercepter. Les nouvelles ne sont pas bonnes. Bachar el-Assad continue ses atrocités et Abou Bakr Al-Baghdadi, le chef de l'EIIL, a réussi à planter son drapeau. Pour constituer son califat, il s'est approprié des territoires qui vont d'Alep en Syrie à Dyala en Irak en englobant les puits de pétrole de la région. Vu qu'il a commencé par cambrioler la banque de Moussoul, l'EIIL est devenu le groupe terroriste le plus riche. Le 29 juin dernier, premier vendredi du mois de ramadan, le « nouveau calife » a appelé *« les musulmans du monde entier à rejeter la démo-*

cratie, la laïcité, le nationalisme et les autres ordures de l'Oc-cident ». L'EIIL a enlevé les deux dernières lettres de son nom : c'est devenu l'EI, l'État islamique. Pour le moment, Al-Nosra refuse de leur faire allégeance. Sur les Facebook, les « jiha-distes » se donnent rendez-vous à Bagdad pour ce qu'ils appel-lent le *« match final »*. Il faut dire que la coupe du monde de football au Brésil vient de démarrer... Al-Baghdadi compte bien prendre la main sur tous les groupes jihadistes avant d'étendre son territoire. Depuis qu'il se prend pour le calife, Al-Baghdadi a monté de nouvelles vidéos : il a remplacé les têtes coupées par des sacs de riz. Devant la caméra, les hommes en noir enlacent tous les vieux édentés, estropiés, en guenilles. Entre deux embrassades, un homme se fait fouetter. On explique qu'il a désobéi. Le fouet à gauche, le sac de riz à droite. Sur l'écran apparaît une inscription accompagnée d'une mélodie religieuse : *« Nous sommes la justice. »*

Des garçons enrôlés ont réussi à quitter la Syrie. Quand Talérand les a interrogés, il a compris. Les deux ont grandi dans la même cage d'escalier dans une banlieue populaire, ont fait l'école maternelle, l'école primaire, puis le collège ensemble. Ils se sont endoctrinés sur le même ordinateur. Liés à la vie à la mort, ils sont partis ensemble pour sauver les Syriens. Arrivés sur place, grosse déception, les deux amis sont séparés : l'un doit combattre pour Al-Nosra et l'autre pour l'EIIL. On leur dit que l'objectif est le même : implanter le califat pour sauver le monde. Peu importe dans quel groupe ils jouent. Ils n'ont guère le choix. Ils commencent leur entraînement puis *« leurs missions »*... Un beau matin, ils se retrouvent face à face avec leur kalachnikov. Leurs émirs se sont disputés. Chacun prétend posséder la vérité pour accomplir le destin de Dieu et a décidé d'éliminer la troupe de l'autre. Au lieu de tirer, les deux amis se reconnaissent et se cachent. Le soir même, ils décident de s'enfuir ensemble. Ils enlèvent leur bandeau qui montre l'appartenance à leur groupe, mais restent en habits noirs. La chance est avec eux. Et ce sont des garçons, ils peuvent donc marcher seuls. Ils arrivent vivants à la frontière. Ils lèvent les mains en l'air et l'Armée syrienne libre prend pitié. Elle les laisse passer, malgré leurs habits de jihadistes, comprenant la situation. Aujourd'hui, ils sont en France, en détention provisoire, et attendent leur jugement. Mais ils sont ensemble, dans la même cellule.

Plus il auditionne les jeunes qui rentrent de Syrie, plus Talérand est inquiet. Les bases théoriques d'Al-Qaïda ont atteint les plus impliqués, souvent incultes en islam : ils sont persuadés que le jihad individuel est une obligation en islam, ignorant que depuis 14 siècles il ne peut être que la décision d'un gouvernement. Mais ce n'est pas tout, ils imaginent que ce jihad est global alors que, dans l'islam, la légitime défense ne peut être décidée que par rapport à un territoire précis, justement quand ce dernier est attaqué et que ses habitants sont en danger. Al-Qaïda a balayé 14 siècles de théologie qui conditionnait le jihad à trois choses : un territoire, une population en danger de mort et la décision de son gouvernement. Ceux qui rentrent de Syrie sont persuadés que tout musulman doit combattre tant que le dernier empan de territoire musulman n'est pas libéré des « infidèles ». Leur espace « musulman » n'est pas la Syrie, il est devenu le monde entier... Ce qui inquiète le plus le magistrat, c'est la manière dont ces jeunes ont assimilé le recours à l'apostasie instauré par tous les terroristes à la suite d'Al-Qaïda. Ils accusent les musulmans qui ne s'alignent pas sur leur nouvelle interprétation du jihad d'être « infidèles » ou « apostats ». Traiter de *kâfir*[7] un musulman qui connaît l'islam permet de l'éliminer, symboliquement ou physiquement. C'est malin de leur part, puisque les jeunes embrigadés n'écoutent et ne discutent avec personne... Cela se répercute même pendant leur incarcération : impossible de leur faire entendre raison, ils n'écoutent pas les aumôniers musulmans qui pourraient leur parler de la religion. Comment s'y prendre pour les faire sortir de cette idéologie ? Vont-ils rester en prison à vie ?

Nadia, qui échange avec Talérand régulièrement, constate les mêmes dégâts et imagine le pire au niveau international : la purification interne, entre musulmans, n'est que la première étape de l'EI. Pour le moment, ils tuent les Syriens et se battent entre jihadistes. Mais ils vont vite passer à l'extermination externe, comme toute idéologie totalitaire. Les intégristes vont étendre leur territoire et massacrer sur leur passage toutes les autres communautés qu'ils considèreront « non véridiques ». Cela peut aller des chiites aux chrétiens, en passant par toutes sortes de tribus.

Ce serait catastrophique que la communauté internationale laisse les jihadistes tuer les musulmans sans bouger et qu'elle finisse par intervenir uniquement le jour où les chrétiens d'Orient seront attaqués. Les médias vont parler de

---

7. Mécréant en arabe, au singulier.

guerre de religion ! Et là, les intégristes auront vraiment réussi à imposer au monde leur interprétation de l'islam... Ils seront validés « musulmans » par les médias qui leur donneront encore plus de pouvoir en croyant les dénoncer. Pourvu que le droit international s'impose le plus vite possible !

Du côté des mères orphelines, Meriam a monté son collectif « Jamais sans Assia ». Elle ne cesse de mobiliser les autorités pour que le statut d'otage soit reconnu à son bébé. Nicole a aussi a monté son association. Elle refuse que d'autres parents reçoivent le même SMS qui a ruiné sa vie. Samy continue à se tenir au courant de tout : il espère qu'un événement magique permettra de libérer son petit frère.

Sophie prend régulièrement des nouvelles de Nathalie. Célia ne va pas mieux. Elle est internée dans un centre psychiatrique. Pour la protéger d'elle-même. Nathalie n'a pas trouvé mieux. Philippe a dû intervenir pour expliquer la situation et attester qu'il s'agissait d'une « sortie de secte » post-traumatique. Comme cela ne correspondait à aucune nomenclature, il a précisé : « syndrome dissociatif ». Là, le dialogue entre psys a pu s'établir et la prise en charge s'opérer. Le dédoublement de personnalité, ils connaissent.

Nathalie s'enferme sur elle-même. Sophie s'inquiète pour elle. Quand sa fille était kidnappée, elle était battante. Elle aidait les familles. Elle avait un but dans sa vie. Maintenant, elle donne l'impression d'être aussi vide que sa fille. Elle et Célia sont devenues deux fantômes qui se promènent dans cette vie en attendant la sortie.

– Pourquoi se battre ? Il n'y a pas d'issue. Et toi ? Adèle ? Tu as des nouvelles ?

Sophie comprend que Nathalie veut parler d'autre chose :

– Non, depuis notre passage en Syrie, elle n'a plus appelé…

Sophie enchaîne sur les autres familles.

Depuis la mise en place du numéro vert par le ministère de l'Intérieur, les parents sont attentifs. Ils appellent dès les premiers signes de rupture de leur enfant, au moment où l'emprise mentale d'Abu Oumma n'est pas encore totale.

Nadia réfléchit à des modules de prévention dans les lycées. Elle veut trouver le moyen de préserver les jeunes qui sont au tout début du basculement… Nadia sait qu'elle doit les amener à prendre conscience du décalage entre le discours d'Abu Oumma et la réalité du terrain. C'est le contraire d'un travail de psychologue classique : les « malades » ne doivent pas réfléchir à ce qu'il y a dans leur tête, mais analyser ce qu'il y a dans celle d'Abu Oumma. Une fois qu'ils comprendront les véritables intentions de ce personnage, ils pourront s'en détacher et se remettre à penser par eux-mêmes. Libres à ceux qui le veulent ensuite de se demander pourquoi ils ont pu croire à ce discours endoctrinant… C'est une autre étape qui appartient à chacun.

Comment rendre visibles les fils que manipule Abu Oumma dans l'ombre ? Nadia demande l'aide des mères orphelines. Elles sont toutes partantes. Deux ou trois jeunes seront invités par séance avec leurs parents. Alors chaque mère orpheline témoignera de son vécu : Meriam n'aura pas de mal à exprimer sa souffrance, elle est à bout. Les textos adressés sur son portable par le groupe de terroristes suffisent à prouver leur absence d'humanité. Pas compliqué pour Samy non plus de parler de son frère séquestré, de ce qu'il a vu là-bas. Jean-Marc expliquera les traumatismes de sa fille. Zahra complètera le tableau morbide, en racontant comment son ex-mari voulait l'endoctriner et comment son bébé l'a sauvée. Sophie répètera les récitations d'Adèle. Elle parlera aussi d'Hamid et de Karima, des camps des réfugiés syriens, des massacres de médecins, et des musulmans dignes qui enlèvent toujours leurs chaussures...

La première séance a été un succès : au bout de quelques minutes, les trois premières jeunes filles se sont effondrées en larmes dans les bras de leurs parents. À l'écoute de tous ces récits, elles ont réalisé le danger auquel elles avaient échappé et la souffrance qu'elles auraient provoquée. Surtout quand Samy a parlé de sa mère, hospitalisée parce qu'elle ne supporte plus l'absence de son fils. Il a répété la parole du prophète de l'islam : *« Le paradis est au pied des mères »*. Les petites ont raconté alors comment on leur avait mis de la haine dans le cœur tout doucement, et par quels moyens : une rencontre, un site internet, les réseaux sociaux, une amie, un petit copain... Elles ont toutes été abordées d'une façon différente, avec toujours le support d'Internet.

Nadia décide de faire entrer les jeunes filles dans « l'équipe ». Rien de mieux qu'un ado qui parle à un ado. Elles deviennent les ambassadrices des mères orphelines, celles qui vont expliquer la différence entre l'islam et le radicalisme. Comment appeler ces séances ? Du désen-doctrinement ? Nadia et les autres se demandent s'ils ne vont pas les appeler les « Endoctrinés Anonymes ». C'est un peu le même principe : *« Bonjour, je m'appelle Emma, on m'a dit que j'allais faire de l'humanitaire et je n'ai vu que des assassinats... Bonjour je m'appelle Marco, le massacre des Palestiniens me révolte et je croyais aller aider les plus faibles. Bonjour... »*

Cette expérience donne une idée à Sophie. Elle est décidée à « désendoctriner » Adèle à distance. Elle ne peut plus rester comme ça, sans rien faire. Elle en parle à Nadia.

– Tu connais le principe : ne pas parler de secte, ne pas lui faire la morale. Comme elle est dans une vision bipolaire, si tu tentes de la raisonner, ça renforce le pouvoir du gourou.

– Je dois faire quelque chose, Nadia, insiste Sophie.

Nadia réfléchit :

– Tenter le choc émotionnel à distance me paraît impossible. Mais tu peux passer par les affects.

Sophie est perplexe :

– J'ai déjà essayé, sans succès. Adèle est un robot.

Nadia insiste :

– Tu n'as pas le choix. Reprends les albums de famille avec Philippe. Regardez les événements qui l'ont marquée. Agrandissez des photos. Visez les expressions. Ce qui renvoie aux souvenirs les plus émouvants. Envoyez-les lui, même si elle les refuse.

24

Ce soir-là, au milieu du repas, le téléphone de Clémence sonne. Une horrible sonnerie, stridente, hurlante. Elle met le niveau du son au maximum pour ne rien louper. Quand elle décroche, ses yeux se voilent. Le portable dans la main, elle articule silencieusement : « Adèle » et met le haut-parleur.

Une petite voix d'enfant résonne. Sophie a l'impression qu'Adèle est redevenue leur petite fille chérie. Sophie ne peut s'empêcher de crier :

– Adèle, ma chérie ! Tu vas bien ? Je t'aime, je t'aime. Nous t'aimons tous. J'espère ne pas t'avoir causé du mal par ma venue en Syrie. Je suis tellement désolée. Papa aussi. On devait aider cette mère à récupérer sa fille. Je ne pensais pas que ton groupe le saurait ! Pardonne-moi ! Ils te font du mal ? Ils t'empêchent de m'appeler ?

Un lourd silence lui répond. Sophie n'aurait pas dû parler d'eux. Soudain sa voix résonne à nouveau. Ce n'est plus celle de sa petite Adèle. Elle est redevenue Oum Hawwa. La récitation repart de plus belle. On entend une personne chuchoter à côté d'elle. Adèle leur annonce qu'elle s'est mariée avec Omar.

– L'émir a accepté. Il a dit que c'était un très bon choix. Quand il rentre du combat, une fois par semaine, mon mari se lave et m'emmène boire du jus d'orange. Hier soir, il m'a acheté des baskets de marque.

Sophie se sent complètement égarée. Philippe n'en mène pas large non plus. Elle n'a qu'une idée : la faire parler encore. Elle demande bêtement :

– Tu ne m'as jamais dit de quelle origine il est, ton mari ?

– Je ne sais pas en fait, hésite Adèle.

Sophie profite de son ton qui est redevenu normal et pousse un peu...

– Peux-tu m'envoyer une photo ? As-tu assez de réseau ?

Adèle est d'accord. Philippe comprend l'objectif. Il renchérit sur Sophie.

Un bip annonce la réception du MMS : la photo est celle d'un Occidental, mais on ne voit que la barbe et le turban noir sur son front. Sophie comprend pourquoi Adèle ne sait pas répondre : son aspect « combattant » efface le reste. On voit un jihadiste et on ne voit pas l'homme.

– Demain, c'est ton anniversaire. Comment vas-tu le fêter ?

Adèle ne répond pas tout de suite, puis elle lâche :

– Le Prophète ne fêtait pas son anniversaire.

Alors Adèle éclate en sanglots.

– Mon bébé, ma chérinette adorée...

– Vous me manquez tellement... Je vous aime si fort. J'aimerais tant rentrer et vous retrouver.

Elle veut dire quelque chose d'autre, mais une voix intervient, et la communication est coupée. Ils restent figés. Le téléphone est toujours dans la main de Clémence. Le soir, ils se blottissent les uns contre les autres, bourrés de somnifères accordés exceptionnellement par Philippe.

Le lendemain matin, Adèle a 16 ans. Sophie, Clémence et Philippe préparent son gâteau préféré et mettent seize bougies dessus.

Adèle adore les bougies. Elle refuse d'acheter des bougies d'anniversaire en chiffre. Elle leur répétait : « *Plus il y en a, mieux c'est ! Quand j'aurai 30 ans, j'aurai trente bougies ! Ce sera génial !* » À quoi Sophie répondait : « *Il te faudra un énorme gâteau, dis donc !* »

Ils prennent une photo d'eux trois. En premier plan, se trouve le gâteau.

Depuis la naissance d'Adèle, c'est toujours le même. Le jour de ses 6 ans, Sophie lui a demandé : « *Tu n'en veux pas un nouveau ? Un autre goût pour changer ? Tu n'en as pas marre ?* » Adèle a répondu : « *Pourquoi changer ? Je l'aime tellement.* » Avec un petit sourire taquin, elle a rajouté : « *Presque autant que toi.* » Sophie l'a attrapée, l'a soulevée de terre, l'a fait tourner, puis l'a serrée fort, histoire de respirer son odeur. Elle adore quand elle fait l'avion. Elle crie : « *Encore, encore ! Fais l'avion, ouiiiiii...* » Philippe est rentré et les a retrouvées en plein jeu. Il a éclaté de rire. Il a attrapé sa fille et l'a fait voler encore plus haut. Une petite panique a envahi Sophie. Une voix à l'intérieur a crié « *Ne la lâche pas !* » Mais il la tenait fermement.

Pour la première fois, Adèle n'a pas parlé comme un robot. C'était de nouveau elle... C'est le moment ou jamais de la sortir de son hypnose. Sophie se précipite dans le salon et attrape l'album pour rechercher les photos de cette époque. Nadia leur a conseillé de choisir parmi les souvenirs les plus marquants. Le jeu de l'avion l'a marquée. Même en grandissant, elle demandait « *son petit tour* ». C'était son rituel, pour franchir l'année de plus.

Philippe et Clémence rejoignent Sophie sur les poufs. Ils fouillent avec elle dans leurs souvenirs. Trient par année. Dans chaque album, ils cherchent les photos d'anniversaire. Partout, Adèle est radieuse. Aujourd'hui, c'est à se demander s'ils ont bien vécu ces années ensemble... Clémence craque et pleure à chaudes larmes. Philippe s'essuie les yeux discrètement. Sophie, elle, agit comme un automate. Elle cherche « les bonnes photos ». Celles qui vont ébranler Adèle. Elle applique les directives de Nadia et en extrait trois.

L'insouciance domine dans la première photo. Ils sont là, tous les quatre, sourires béats, comme une petite famille modèle. Sophie venait d'accoucher et elle n'en revenait pas : Philippe était vivant, Clémence aussi, et elle venait de donner vie à un deuxième bébé normal, avec ses vingt doigts. Elle se souvient bien de ce qu'elle pensait alors : « *La vie est plus forte que tout.* » Elle n'arrivait pourtant pas à se détendre. Elle s'attendait à un drame. Elle s'est toujours attendue à un drame. Tous les matins, quand Philippe prenait la voiture, Sophie avait des phobies. Elle implorait silencieusement qu'il démarre avant qu'elle ait le temps de compter jusqu'à cinq. Dans son univers magique, c'était censé le protéger. Son psy lui disait « *C'est normal. Quand on a rencontré la mort, on ne peut plus l'oublier. On vit avec. Ne vous inquiétez pas. Apprenez à être heureuse avec.* » Elle s'y est appliquée et y est arrivée. Ils ont été heureux. Elle continuait à compter jusqu'à cinq tous les matins, mais elle était heureuse. Elle demandait aux filles un texto quand elles arrivaient au collège. Puis au lycée. Mais elle a été heureuse.

Elle choisit le jour des 6 ans d'Adèle pour la deuxième photo. Si Sophie s'en souvient, alors Adèle s'en souvient aussi. Clémence et Philippe, toujours en larmes, la laissent faire. Ses doigts tremblent.

Elle attrape son téléphone et fait un cliché des deux photos. Puis elle rajoute celle d'aujourd'hui : eux devant le gâteau. On voit bien les seize bougies. Elle attrape une jolie feuille et marque dessous : *« Joyeux anniversaire à notre petite Adèle chérie. Déjà 16 ans ! Que le temps passe vite... Je te revois bébé. Chaque jour qui passe, tu nous remplis d'amour. Nous t'aimons plus que tout. Nous sommes à tes côtés par la pensée. Si tu te concentres, tu sentiras nos bisous et nos câlins t'envahir. Et si tu fermes les yeux, tu sentiras le goût du gâteau remplir ta bouche. Souffle fort sur tes bougies ! Tu as aujourd'hui seize bougies à éteindre d'un coup. Sacré challenge ! Et n'oublie pas de faire un vœu. On t'aime à l'infini. »* C'est la quatrième photo. Message envoyé avec quatre pièces jointes...

La réponse ne tarde pas. Le cœur de Sophie bat fort. *Ça y est, ma puce est touchée. Adèle revient à elle. Ma chérie, ma princesse, je savais que ça marcherait... Je savais que tu ne pourrais nous oublier. On arrive, on connaît le chemin, on connaît le passeur... Mon petit ange que je vais serrer fort...*

C'est bien Adèle. Son nom s'affiche. Elle ouvre le SMS. Reste figée. Le sang quitte son corps. Son cœur s'arrête. Elle tombe. Entend de loin Clémence hurler. Puis Philippe.

« Oum Hawwa est décédée aujourd'hui. Elle n'a pas été choisie par Dieu. Elle n'est pas morte en martyr : une simple balle perdue. Espérez qu'elle n'aille pas en enfer. »

À l'heure où nous imprimons, le bébé Assia vient d'être libéré.
Les autres jeunes filles sont toujours séquestrées.